KB155775

통영의 바다는 다채로운 색으로 반짝이고 있습니다.
증쇄할 때마다 다양한 바다색 표지로 찾아뵙겠습니다.

서울을
떠나는
사람들

3040 지식노동자들의 피로도시 탈출

서울을 떠나는 사람들

김승완
김은홍
배요섭
사 이
오은주
이국운
이 담
이명훈
정은영

남해의봄날 ❋

Prologue

경쟁에 내몰린
3040 지식노동자들의
저녁이 없는 삶

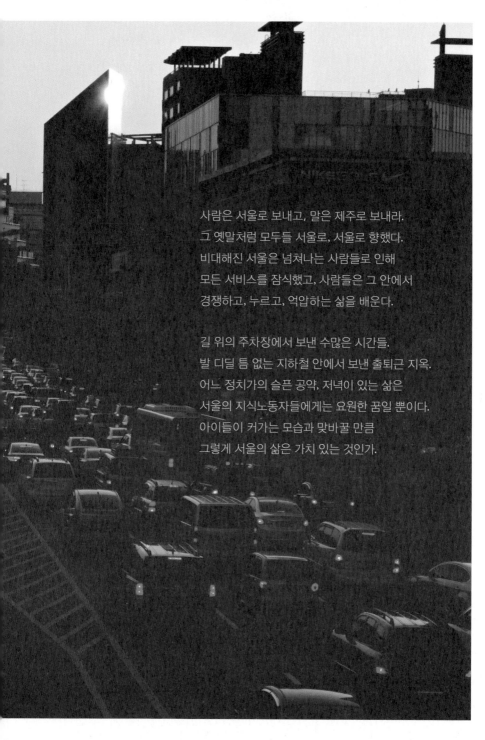

사람은 서울로 보내고, 말은 제주로 보내라.
그 옛말처럼 모두들 서울로, 서울로 향했다.
비대해진 서울은 넘쳐나는 사람들로 인해
모든 서비스를 잠식했고, 사람들은 그 안에서
경쟁하고, 누르고, 억압하는 삶을 배운다.

길 위의 주차장에서 보낸 수많은 시간들.
발 디딜 틈 없는 지하철 안에서 보낸 출퇴근 지옥.
어느 정치가의 슬픈 공약, 저녁이 있는 삶은
서울의 지식노동자들에게는 요원한 꿈일 뿐이다.
아이들이 커가는 모습과 맞바꿀 만큼
그렇게 서울의 삶은 가치 있는 것인가.

피로도시 서. 울. 탈. 출.

2012년 어느 봄날, 서울과 수도권을 빠져 나간 사람들의 숫자가
서울에 입성한 사람들을 처음으로 추월했다는 뉴스가 보도되었다.
수십 년 만의 일이다. 그러나 이것은 시작일 뿐이다.
쉴 새 없이 돌아가는 서울의 시계추 앞에서 이제 누군가는 멈춤을
이야기해야 한다. 통제할 수 없이 거대해진 서울의 피로감을
씻어낼 수 없다면 다른 곳으로 눈을 돌려야 한다.
서울을 벗어나서도 얼마든지 우리의 일상은 가능하고,
그 삶은 오히려 더 풍요롭고 여유로울 수 있음을 나누어야 한다.

서울을 떠나면 무엇을 하면서 살아야 하는가.
호미 들고, 밭을 매지 않아도, 그간의 경력만으로도
얼마든지 다른 삶을 만날 수 있다. 이를 입증이라도 하듯
연극 연출가, 번역가, 큐레이터, 출판 편집자, 작가, IT기획자까지
서울에서나 만날 법한 지식노동자들이 각 지역으로 이동하고 있다.
은퇴 후 삶이 아니라 삼사십 대 젊은 세대들의 일탈이다.

서울을 떠나 작은 지역으로 찾아든 9명의 젊은 지식노동자들.
무엇이 그들을 불편하고, 머나먼 작은 지역의 마을까지 이끌었을까.
그 삶에 동행하고 싶다면 우리가 놓아야 할 것은 무엇인가.
그들의 용기 있는 선택, 그로 인해 변화된 삶이 지금부터 펼쳐진다.

사진 카메라 스튜디오

Contents

제주도로 떠난 오은주, 이담의 이야기

섬은 낙원의 이미지를 갖는다. 파라다이스. 아마도 섬이 주는 단절감과 고립감, 육지와는 다른 생경함이 뭍사람들에게 미지의 세계에 대한 판타지를 부추겼으리라. 한국인에게 제주도는 그 정점에 놓여 있는 섬이다. 복잡한 도시를 떠나 한가로운 휴식을 갈망할 때 가장 먼저 떠오르는 섬, 그러나 쉽게 손이 닿지 않아 일생에 단 한 번 신혼여행지로 각광받던 땅. 이처럼 먼 거리감을 딛고 요즘 제주도는 바쁜 도시인의 힐링뿐 아니라 삶의 변화를 가능하게 해주는 새로운 기회의 섬으로 떠오르고 있다. 최근에 불고 있는 도시인들의 제주 이민 열풍을 예감이라도 한 듯, 이미 10년 전 그 길을 떠난 사람들이 있다.

㈜다음커뮤니케이션의 본사 이전과 함께 제주 생활을 시작한 오은주 씨, 잘 나가던 IT 전문 기자 자리와 제주도를 맞바꿔 그곳에서 글도 쓰고, 작은 카페도 운영하는 이담 씨. 이들의 이야기는 도시인들에게 어쩌면 제주에서의 삶이 그저 막연한 꿈은 아닐지도 모른다는 기대감을 갖게 한다. 피로도시를 떠나 변화하고 있는 지식노동자들의 첫 번째 이야기는 저 멀리 바다 건너 또 다른 나라, 제주도에서 시작된다.

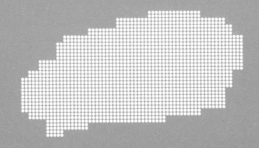

제주도 지역 정보

제주시, 서귀포시로 2시의 행정구역이 있다. 세계 자연유산으로 유네스코에 등재되고, 세계 7대 자연경관에 선정된 관광 휴양지이다. 화산섬 제주도는 휴화산인 한라산과 255개의 오름, 화강암, 용암동굴 등으로 독특하고 아름다운 자연 생태계를 이루고 있다. 이런 자연환경을 바탕으로 조성된 올레길은 이국적이고 토속적인 풍광과 매력으로 관광객을 끌어들이고 있다. 한반도보다는 해양성 기후이지만 일본보다는 대륙성 기후를 보여 전체적으로 온대해양성을 띤다. 바람이 많이 불며 태풍의 문턱에 있다. 울릉도 다음으로 비가 많이 오며 고도에 따라 기후 차이가 나기 때문에 삼림대가 발달했다. 섬이라는 지리적 특성과 옛 탐라국의 역사가 깃들어 특이한 민속 문화를 갖고 있으며 갈치와 옥돔 등 신선한 해산물, 한라봉, 감귤, 천혜향, 백년초, 오분자기 등이 유명하다.

오은주 씨와 이 담 씨가 정착한 제주시

4읍 3면 19동의 행정구역이 있다. 제주도의 북부 중앙에 위치하고 있으며 남쪽의 한라산 정상을 사이에 두고 서귀포시와 접하고 있다. 제주국제공항과 제주항 등 많은 항구가 있어 육지와 제주를 연결하는 관문이며 행정, 교육, 문화의 중심지이다. 추자도와 우도, 비양도 등 51개의 부속 도서가 있다. 용두암, 용연구름다리, 도깨비도로, 애월읍 해안도로 등을 찾으러 많은 관광객이 제주시내에 몰리고 있다. 한 해의 무사안녕을 비는 제주들불축제와 꽃 피는 3월 벚꽃축제와 4월 유채꽃축제, 우도 소라축제, 추자도 참굴비대축제, 탐라대전 등 아름다운 자연과 탐라국의 문화를 살린 축제가 제주시와 각 섬에서 열리고 있다.

서울에서 제주도까지 접근성

김포공항에서 제주공항에 도착하는 제주항공, 대한항공, 아시아나항공, 에어부산, 이스타항공, 진에어, 티웨이 항공 이용 시 소요시간 55분. 공항에서 서귀포 시내 월드컵 경기장으로 들어가는 공항 리무진 버스를 이용하면 서귀포시까지 1시간 소요.

인천항 연안여객터미널에서 오하마나호 또는 세월호 이용 시 소요시간 13시간 30분.

제주시는 제주공항에서 자동차로 20여 분, 서귀포시는 1시간이면 닿을 수 있다.

글
오은주

직장인에게 선물처럼
주어지는 바닷가 일상의 낭만

살다보면 갑자기 닥치는 일들이 있다. 나의 제주생활은 정말 갑자기 닥쳐왔다. 다니던 회사가 사무실을 제주도로 이전한다는 결정을 내린 것이다. 한국의 기업들이 서울과 수도권에만 집중되지 않고 다양한 지역에서 기업 문화를 함께 나누고 성장해야 한다는 창업자의 뚜렷한 철학이 기반이 된 결정이었다. 다음커뮤니케이션이 본사를 제주로 이전한다는 사실은 당시 최고의 뉴스였고, 대체로 대기업 본사의 지방 이전이 육지이던 것에서 벗어나 섬으로 간다는 점 때문에 더 화제가 되었다. 세상 사람들에게 파격적이던 그 사건은 서울에서 평범하게 살던 나에겐 어느 날 갑자기 현실이 되었고, 어느덧 시간은 흘러 8년째 나는 제주에서 살고 있다.

서울에서 잘 살다가, 평범한 사람들의 눈으로 보면 이상해 보이는, 갑작스런 지역 이전을 감행하는 선후배가 내 주변에도 꽤 있다. 요즘 삼사십 대의 젊은 사람들은 이전 세대와는 구별된 삶의 방식을 시도하고 있고, 나는 그다지 특별한 사람이 아닌데도 마치 우연처럼 운명처럼 제주로 오게 됐다.

돌아보면 정말 예상할 수 없었던 많은 일들을 겪으면서 여기까지 왔다. 새로운 삶의 터전에서 만난 즐거운 일들과 때론 괴롭고 황당한 일들이 마구 뒤섞여 있지만 결론부터 말하자면, 제주에서 보낸 내 8년의 시간은 참 좋았다. 그리고 행복했다.

변화를 위한 조건은 필요하다

무언가 새로운 결정을 하고 생활의 큰 변화를 가지려면, 그 선택을 뒷받침할 확실한 조건이 필수이다.

'새로운 시대를 준비하는 IT기업의 비전'이 변화와 발전을 요구하는 회사의 의지였다면 직장인 한 명 한 명에게 직접적으로 다가왔던 느낌은 '제주에서의 직장 생활!'을 경험할 수 있다는 기대감이었다. 그것은 많은 이들이 한 번쯤 해보고 싶은 '낭만적인 꿈'이기도 했다. 멋진 일이었다. 큰 맘 먹고 떠나야 여행으로 한 번 가볼 수 있는 우리나라 대표 관광지 제주도에 살면서 회사에 다니고, 일을 할 수 있다니! 회사에서 내가 속한 조직이 그중에서도 첫 번째 이주그룹으로 결정된 것은 우리 조직의 리더가 이 꿈에 누구보다 적극적이었기 때문이다. 불과 몇 주, 혹은 몇 개월이라는 짧은 시간에 우리들은 제주도라는 낯선 지역에 가서 일하고 살아보기로 결정해 버렸다. 8년 전 우리들의 제주 생활은 그렇게 시작되었다.

돌이켜보면 어떻게 그런 결정을 했는지 자세한 사항들은 기억이 나지 않을 정도로 이제는 과거의 일이 되어버렸지만, 이 단순하고도 무모한 결정이 그리 짧은 시간에 가능했던 것은 한 가지 조건이 깔려 있었기 때문이다.

"2년쯤 살아보고 돌아오자."

일단 저질러보고 정말 아니라고 느끼면 돌아오겠다고 할 만큼 우리는 젊었다. 그리고 용감했다. 패기 넘치는 20대 후반 또는 30대 초반의 청년들이어서 가능했고, 회사 동료들과 함께였기에 더 용기 백배했다. 흥미롭고, 가슴 뛰는 삶으로의 새로운 변화를 선뜻 받아들였던 당시 내 나이는 서른하나였다.

인터넷 미디어 기획자, 공간을 뛰어넘다

다음커뮤니케이션이 <미디어다음>이라는 인터넷 미디어를 만들었던 2002년 기자로 입사해 인터넷 뉴스 편집자, 인터넷 포털서비스 기획자로 살아온 지 10년이 넘었다. 한국 사회에서 포털미디어가 성장해 온 역사의 주요 시점을 인터넷 미디어 기획자로 살아온 셈이다. 그 10년 중 8년을 제주에서 살았다. 입사한 지 채 2년도 되기 전에 제주로 내려온 초창기 멤버로 IT기업의 새로운 실험의 한복판에 서서 걸어왔다고 말할 수 있다.

초창기에는 부서 단위 업무 집중도가 높아 다른 부서와 협의가 적은 부서부터 지역 이전을 시작했다. 부서 간 협의를 위해 국내 그 어떤 기업보다 앞서 화상 시스템을 구축하고 원격회의가 가능하도록 업무환경을 갖췄지만, 얼굴을 맞대고 일하던 업무 습관을 벗어나는 데에는 꽤 오랜 시간이 걸렸다. 그러나 이제 원격 업무환경은 많은 기업에서 시도하는 보편적인 기업 문화로 더 이상 특별한 것이 아니다. 우리 회사도 그동안의 노력을 토대로 더 이상 서울−제주라는 지역적 거리가 업무에 제한이나 한계를 더하는 이슈가 되지 않고 있다.

우리들의 사례는 개인적으로 지역에서 새롭게 삶을 시작하는 이들과는 많이 다를 것이다. 회사 차원에서 제주 지역 이전에 맞는 근무환경을 갖추기 위해 많은 투자와 노력을 했고, 지역으로 이전하는 개개인을 위한 많은 복지를 제공했기 때문이다. 그러나 최고 경영자의 확고한 기업 철학과 조직적인 복지를 기반으로 한다 해도 실제 현실이란 참으로 섬세한 것. 철학을 현실로 만들기 위해서 우리가 구체적으로 무엇을 어떻게 해야 하는지에 대한 고민은 여전히 현재진행형이다.

제주 스타일? 스며들기, 같이 호흡하기

일은 역시 사람이 하는 것. 지역에서 일한다고 했을 때 우리가 첫 번째 직면하게 된 문제는 역시 시스템이 아니라 사람이었다. 지역 출신의 직원들을 뽑고 함께 일하기 시작하면서 문제들이 생기기 시작했다. 초기에 간단한 업무를 도와줄 지역의 시간제 아르바이트생들을 채용했는데, 시작부터 '충격'이었다. 전부는 아니지만 대부분의 아르바이트생들이 우리들의 눈에는 너무나 태만해 보였기 때문이다. 퇴근시간까지 마치라고 했던 업무를 다 마치지도 않은 채 이들은 가방을 들고 회사를 나섰다.

"내일 할게요."

그들을 막아서면 아무렇지도 않게 이렇게 대답했다. 변화가 적고 시간이 느리게 흐르는 지역의 특성상 이들에게는 언제나 급하고 마감에 쫓기는 도시인들의 초조함이 없었던 것이다. 반드시 오늘 안에 끝마쳐야 한다고 닦달하는 우리들의 태도가 이들에겐 낯설고 생소했다. 하나의 집단이 지역 속으로 들어가고, 서로 이질적인 집단이 한 공간 안에서 만난다는 것은 이렇게 섬세한 지점에서 서로 영향을 주고받으며 조율해야 하는 과정의 연속이다.

이제는 수백 명 이상의 제주 젊은이들이 다음에서 일하고 있을 정도로 제주 사람들에게 다음은 익숙한 기업이 되었고, 제주 지역 경제 전반에 영향을 미칠 뿐 아니라 제주 문화와 제주 사람들 속으로 스며들어 함께 호흡하려는 회사의 노력과 직원들의 참여는 꾸준히 이어지고 있다.

이별 뒤의 새로운 시작

회사 차원에서 시작된 실험이라 해도, 결국 이런 꿈을 이루어가는 개개인의 인생은 아주 사소한 문제들로 가득 차 있다. '제주라니!' 기대에 부풀 만큼 멋진 기회였지만, 각 개인이 실행에 옮기는 것은 단순한 문제가 아니었다.

그때 우리들에게 제주 이전과 관련된 첫 번째 이슈는 단연코 '연애와 결혼'이었다. 회사 전체적으로 아직 미혼이 많던 시절이라 제주로 이동하면서 남자 친구, 여자 친구와의 관계를 고민해야 하는 현실적인 문제들이 마구 발생했다. 나도 동일한 문제에 직면했고, 남자친구와 꽤 많은 갈등을 겪어야 했는데 우리 커플의 경우는 남자친구가 자유 업종에 있었기에 다행히 나를 따라 제주로 이사 오는 것으로 정리할 수 있었지만, 직장에 다니는 경우 헤어지는 수순을 밟는 게 다반사였다. 반대로 빠르게 결혼에 돌입하는 커플들도 많이 생겼다. 원격으로 연애를 하기엔 제주는 너무 머니까.

회사가 제주로 이동하고 2~3년이 지난 후에는 제주도 사람들과 연애하고 결혼하는 직원들이 많이 생겼고 제주에서도 연애하고 결혼하며 살아갈 수 있다는 것을 알게 되었다. 하지만 아직 초창기에 우리는 새로운 정착지에서 정든 애인과 헤어져 외롭고 괴로운 동료를 위로하며 '낯설고 외로운 제주'에 적응해 나가야 했다. 우리는 사실 그때 잘 몰랐었지만, 우리가 거주지를 옮긴다고 결정한 순간, 그동안 갖고 있던 인간관계와 내 삶에 얽혀 있던 거의 모든 부분들과 일정 정도 '이별'하게 된다는 꽤 대단한 변화가 시작된 거였다. 아마 알았더라면 시작할 수 없었을지도 모를 그런 특별한 결심. 그래도 그 대단한 것을 감행했기 때문에, 우리는 뼈아픈 이별 이후

다가온 수많은 새로운 만남들과 마주할 수 있었다.

외로움은 그만, 즐거운 탐사 그리고 탐닉

가까운 가족이나 애인과의 관계라는 심각한 고민거리를 해결하고 나자 친구의 부재라는 또 다른 문제가 시작되었다. 회사 동료를 제외하면 퇴근 후 만날 사람이 거의 없었으니까. 그래서 우리는 지겹도록 회사 동료들과 돌아다니기 일쑤였다. 매일 저녁 어느 집은 음식 파티를 하고, 어느 집은 술 한 잔 기울일 수 있는 판이 벌어졌다는 것이 가장 큰 뉴스거리였다. 그래도 다 함께해서 덜 외로웠고, 다 함께였기에 초기 정착의 외로움을 빠르게 털어냈던 것 같다.

가족이나 애인, 친한 친구와의 개인적인 문제들을 하나둘 정리하고 나서야, 우리는 즐거운 탐험을 시작할 수 있었다. 누군가가 회사 근처 배달이 가능한 중국집을 찾아냈다는 정보가 사무실 전체에 빠르게 전파되고, 제주 중국집은 저녁 8시 이후에는 주문도 안 받고 배달도 안 하고 24시간 영업을 하는 곳이 거의 없다는 사실에 모두 깜짝 놀라던 그런 때가 있었다. 그렇게 생활의 자질구레한 모든 것에 적응해 나가는 과정이 놀랍고 불편하고 한편으론 재밌었던 시간들이었다. 아이가 걸음마를 배우듯 우리는 그렇게 뭐든 새롭게 배워 나갔다. 서울에 익숙한 우리들에게 지역의 문화는 그렇게 낯설었다.

투박한 제주 문화도 화젯거리였다. 식당에 들어가면 '어서 오라'는 뻔한 인사가 없다. 주문을 받으러 오는 친절함도 없다. 머쓱해서 손님이 먼저 뭔가를 달라고 주문을 해도 별로 반응이 없다. 심지어! 음식이 되면 손님 앞에 음식 그릇을 '탕'하고 내려놓고 수저를 던지듯 놓고 갔다. 이제는 그것이 그저 투박하고 한편으로는 소탈하고 꾸밈없어 정감까지 느껴지는 제주 사람들의 '스타일'이라는 것을 알지만, 서울 깍쟁이였던 그때의 우리에게는 밥을 먹을 때마다 겪어야 하는 불쾌하고 당황스러운 일이었다. 지금은 오히려 그렇게 해주지 않으면 왠지 정이 없는 것처럼 느끼게 되었는데 말이다.

초기에 우리를 놀라게 했던 이런 촌스럽기까지 한 지역 문화는 지금 생각해도 흐뭇하고 그리운 추억거리다. 초기에 이전한 직원들이 모두 함께 일 년 동안 거주한 오피스텔이 있었는데, 그 오피스텔 앞 쇼핑센터는 우리 모두의 생활 거점이었다. 지금은 대기업 마트로 변했지만, 그 당시만 해도 지역 브랜드를 유지한 대형 마트였는데 판매방식이 서울에 살던 우리들의 주목을 확실히 끌었다. 바로 방송을 한다는 사실인데, 주말이 되면 두세 시간 동안 반짝 세일 방송을 건물 밖까지 내보냈었다. 주말에 숙소에서 늘어지게 자다보면 반드시 들려오는 일요일 오후의 낮잠을 깨우는 소리.

"지금 바~로 나오셔야 합니다. 이 딸기 안 사면 정말 문제 많아! 이런 거 놓치는 사람은 정말 바보야, 바보!"

"자, 어머님들 지금 바로 신발 신고 나오세요. 30박스밖에 안 남았네. 바로 신발 신어요, 신어!"

이런 식이다. 방송 마이크를 잡으셨던 분은 아주 확실하고 단호하게 말씀하시는 어머님이셨는데, 주변 동네에서 슈퍼스타였다. 우리도 곧 그 문화에 젖어 들어서 어머님이 방송을 시작하면 어느덧 바로 신발 신고 마트 앞을 서성였다. 그러다 나처럼 쫓아 나온 동료들을 보노라면 서로 실소를 금할 수가 없었다. 우리는 제주라는 새로운 지역에 그렇게 스며들어가고 있었다.

삶을 던지는 여행

제주에서 겪은 소소한 생활의 변화나 경험을 말하라면 할 수 있는 말은 너무 많지만, 긴 설명 없이 곧장 결론을 말한다면 한 마디로 지역으로 이주해서 산다는 건 여행 같은 것이다. 요즘은 우리나라 사람들도 해외여행을 꽤 많이 경험한다. 단순 관광 차원을 넘어서 삶이 묻어나는 여행을 하는 이들도 늘어가고 있다. 나도 30대에 꽤 많은 시간과 돈을 들여 여행을 했었는데, 같은 나라 같은 지역으로 여러 번 반복해서 여행을 가곤 했다. 뭔가 새로운 것을 경험하기보다 그곳에 사는 사람들이 좋고, 그 지역이 좋고, 지역의 삶을 느끼며 일상을 체험하고 싶었기 때문이었다. 태국, 홍콩, 후쿠오카 그리고 괌을 특히 좋아하는데 그곳에 있는 작은 옷집, 모퉁이 밥집, 동네 놀이터 이런 곳이 좋아서 지금도 늘 가고 싶다. 그리고 언젠가 기회가 되면 그곳에 살고 싶다. 내 마음이 닿는 곳들이라는 느낌이 들어서다. 나에게 여행은 그런 것이다. 제주도 역시 그런 여행지의 하나일 뿐이라고 생각하며 살고 있다.

모두가 여행을 좋아하지는 않듯이 이런 생활방식을 모두가 선호하는 것은 아니다. 하지만 즐기는 사람들에게는 적당히 긴장감 넘치고 꽤 재미난 이런 여행, 그리고 이런 삶의 방식. 바로 그것을 현실적으로 누릴 수 있는 방법이 한국 안에서 '서울이 아닌 지역'으로 삶의 터전을 옮기는 일이다. 아주 신나고 흥미진진하며 꽤 진지하고 철학적인 화두를 던지는 도전이 될 것이다. 몇 년쯤 전 세계를 여행하는 것 이상으로, 진지하고 도전적인 여행 말이다. 삶을 던지는 여행.

거창하게 삶을 던지는 여행이라 말했지만, 실은 아주 작은 기억들을 소유한다는 기쁨이 좋아서 이렇게 사는 게 아닐까.

아주 어린 시절 지방에서 잠깐 살았는데 서울에 가야 좋은 학교에 갈 수 있다며 다른 이들처럼 우리 부모님도 서울로 이사를 결심했다. 꽤 좋은 동네에 집을 마련하고 서울에서 학군 좋다는 학교에 다닐 행운을 얻었고, 좋은 대학, 좋은 직장과 멋진 미래를 꿈꾸며 살았던 것이 내 서울 생활의 기억이었다. 나쁘지 않았고, 열심히 살았고, 행복하다고 믿으며 살았는데, 어느 날 집안의 경제가 어려워지고 나서야 화려하고 가능성으로 가득 차 보이던 서울이 돈 없으면 팍팍한, 차가운 도시라는 것을 알게 되었다. 아주 신선한 발견이었다. 위로, 더 높은 곳으로, 늘 화려한 것을 꿈꾸던 것을 당연하게 생각했던 나의 생각에 처음으로 제동이 걸리고 나서야 산다는 것이 이토록 다양한 측면을 갖고 있다는 것을 알게 되었다. 그리고 나서야 비로소, 지역에서 살아가는 삶이 새롭고 도전적이고 즐거운 경험인 것을 깨달은 것은 한편으론 부끄럽기도 하다. 어쩌면 그렇게 평면적인 생각으로 꽤 오랜 시간을 살아왔을까 하고.

그곳이 서울이든, 지역이든, 외국이든 또는 바닷가이든 산속이든 장소가 중요하지는 않다. 중요한 것은 사람이란 자신이 살아가는 곳에서 '기억'이라는 것을 얻으며 산다는 것이다. 그곳의 환경과 그곳의 분위기와 느낌, 그곳에서 만난 사람들이 우리 인생을 채우는 기억들을 만든다는 사실이다.

지금 사는 그곳이 충분히 나에게 도전적이고 신선하고 살아있음을 느끼게 하는 기억으로 가득한 장소라면 굳이 떠나야 할 이유는 없다고 생각한다. 그곳에서 충분히 느끼고 경험하고 기억들을 가득 채워야 하지 않겠는가. 그런데 지금 그곳의 기억으로 충분하지 않다고 느낀다면, 다른 곳으로 가서 살아보는 것을 권하고 싶다. 어느 곳이든 상관없지만, 우리나라의 어떤 지역으로 이주해서 살아보는 것은 아주 신선하고 도전적이다. 생각보다 서울을 벗어난 먼 지점들이 우리 정신과 영혼에 신선한 경험을 안겨줄 것이다.

선물처럼 주어지는 일상의 낭만

처음에 이주해 갈 때는 제주가 관광지라는 사실이 우리에게 결정적이었다. 매일 낭만적인 바다를 경험하고 퇴근만 하면 서울에서는 상상도 못할 휴양지와 같은 휴식이 우리를 기다릴 줄 알았다.

아니었다! 바다가 그렇게 가까이 있어도, 새벽부터 일어나 출근하는 회사 생활은 서울과 하나도 다르지 않았고, 퇴근하면 먹고 사는 일에 바쁘고 빨래하고 설거지하고 마트를 돌아다니는 생활은 서울과 완전 똑같았다. 여기가 제주 맞아?

그렇다. 생활이란 어디나 똑같다. 사람 사는 건 다 똑같다. 그걸 인정하지 않으면 오히려 어떤 지역을 가더라도 새로움이나 신선함은커녕 삶이 지루한 것임을 확인하는 계기가 될 뿐이다. 하지만 일상이란 평범하고 또 변함없다는 전제를 인정하면서 여전히 반복되는 생활에 적응하다보면 가끔 선물처럼 주어지는 즐거운 낭만과 마주할 수 있다. 그래, 그런 것들은 분명히 있다.

퇴근하면 부지런히 집으로 돌아가서 텔레비전을 보는 생활을 반복하기도 하지만, 나는 여름시즌이 되면 바다로 차를 몰았다. 7시 퇴근 시간에 맞춰 부리나케 바다로 차를 몰면 7시 반에는 내 비밀의 장소에 도착, 남자친구와 함께 작은 모래사장이 갖춰진 바닷물에 뛰어들어 목만 내놓고 물 위에 둥둥 뜬 채로 바다 위로 지는 해를 만끽하는 '절정'의 기억을 담을 수 있었다.

역시 제주하면 바다니까, 난 바다를 만끽하고 싶었다. 바다에 대한 기억을 충분히 가져가리라 마음먹었다. 여름에 휴가를 받으면 바쁜 남자친구를 버려두고 나 혼자 하루 종일 조용한 바닷가에서 빈둥거리는 호사를 며칠이고 반복했다. 낭만을 위해 기꺼이 구입했던 스쿠터에 작은 레이스가 달린 까만 우산 하나를 끼고 가방 속에는 적당히 두꺼운 책 한 권, 커다란 비치 타월과 머리 수건 하나를 넣고, 수영복 위에 얇은 원피스를 입은 채 선글라스를 끼고 해안도로를 따라 마구 달린다.

바다에 도착하면 북적이는 가족 단위로 놀러온 사람들과 다소 거리를 두고, 나 홀로 멋에 취해 바닥에 달랑 타월 한 장 깔고 작은 레이스 우산 아래 태양을 즐긴다. 책을 보고 아이폰으로 음악을 즐기다가 조금 심심하면 바다에 풍덩 뛰어들어 바다 수영으로 몸을 푹 적시고 나와 불어오는 바닷바람에 몸을 말리기를 두어 번 반복한다. 머리만 조금 털어 수건으로 말린 채 그대로 비치웨어 원피스를 덮어 쓰고는 스쿠터를 타고 해안도로를 달려 집으로 돌아온다. 그렇게 바닷물에 몸을 담갔다 바람에 말리기를 몇 회 반복하면 적당한 염분에 의해 피부가 비단결이 되는 나만의 피부미용 비법. 독자들을 위한 서비스로 잠깐 공개했다.

낭만! 가끔 선물처럼 주어지는 일상의 낭만에 대한 기억들, 제주에서라면 그런 기억들을 아주 많이 만들 수 있다.

새로운 경제관, 새로운 인생관

물건이 넘치는 서울에 살다 지역으로 오면 물건을 사는 일이 어려워진다. 제주 정착과 관련한 첫 기억들도 거의 다 필요한 물건을 사거나 먹고 사는 일들에 관련된 것들이었다.

처음에는 없는 게 너무 많다고 다들 불평이 많았다. 그리고 개미처럼 온 제주로 퍼져서 어떻게 해서든 그 물건을 살 수 있는 장소와 노하우를 찾아내고 정보를 교환하는 일들을 반복했다. 한편으로는 불편하고 한편으로는 모험과 탐험 같은 재밌는 경험이었지만, 7~8년이 훌쩍 넘은 지금은 새로운 경제관을 확립하게 된 수준에 이르렀다. 서울과는 다른, 지역 특유의 상권과 경제 문화가 내 안에 들어왔다.

물질과 돈에 대한 새로운 시각은 인생조차 새롭게 보게 만들었다. 새로운 경제 시스템을 이해한다는 것은 새로운 인생을 배우는 것과 같다. 처음 제주로 갈 생각을 하던 시절만 해도, 제주에서 살며 경제에 눈을 뜨리라는 생각은 하지 못했다. 사는 동안 그저 잠깐 경험하는 정도일 것이라 생각했다. 그런데 이제는 제주 상권이 어떻게 돌아가고, 어느 지역 집값, 땅값이 얼마인지를 안다. 내가 한 달이면 얼마의 돈을 벌어, 얼마의 돈을 쓰고, 내게 꼭 필요한 것은 어디에서 파는지, 같은 값이라도 어느 곳의 물건이 보다 신선하고 질이 높은지, 나는 이제 제주의 많은 것을 안다. 어떻게 보면 인생은 단순한 것인지도 모른다. 내가 사는 이곳에서 무얼 해서 어떻게 먹고 살아야 하는지를 알고 나면 인생학습의 기본 과정은 이수한 것일 테니.

어느 지역에나 '경제'가 있고 '먹고 사는 메커니즘mechanism'이 있고, 먹고 살기 위해서는 그것을 알아야 한다. 단순히 관광을 온 것이 아니라면 그 지역에서 한 명의 경제 주체가 되어야 한다. 생산하고 소비하고 어울려 살아가야 한다. 이제는 서울공항에 도착하면 관광객처럼 느끼고 제주공항으로 돌아와야 집에 돌아온 듯

푸근한 마음을 느끼는 나는 이제 제주에 속한 사람이 되어버렸다. 그래서 가능하다면 나이 들어서까지 이곳에서 살아볼까 생각하고 부모님까지 제주로 모셔오고 말았다. 인생이란 확실히 알 수 없고, 또 삶을 항상 여행처럼 살아가는 나는 어느 곳에 뿌리를 내려야 한다고는 생각하지 않지만, 가능하다면 이곳에서 오래 살아도 좋겠다는 생각을 하게 될 만큼 제주를 제2의 고향으로 느끼고 있다.

"제주에서 살아보니 어때?"

진심으로 궁금해 하고 물어오는 이들에게는 여기 쓴 것보다 훨씬 다양하고 내밀한 이야기보따리를 품고 있는, 제주에 대해서 아는 척 좀 할 줄 아는 여자가 된 것도 분명하다. 천일의 야화처럼 아직도 내 안에 기억들은 가득하다. 그 기억이 궁금하신 분들은 누구든 연락 주시길. 언제든 대환영한다.

오은주

40, 인터넷 포털서비스 기획자
(주)다음커뮤니케이션 플랫폼 기획팀 팀장

IT 잡지 기자, IT 홍보 에이전트를 거쳐 서른 살에 다음커뮤니케이션에 입사, 10년 이나 열심히 일하다보니 올해 마흔 살, 중년을 맞이했다. 법학과 국제학을 전공한 덕분에 다음커뮤니케이션 <미디어다음> 1기 국제부 기자로 일을 시작했고, 인터 넷 포털 서비스의 매력에 빠져 뉴스, 검색, 블로그 등 다양한 서비스 기획 일을 거 쳐 현재는 첫 화면 기획팀장으로 일하고 있다. 다음커뮤니케이션 근무 10년 중 8 년을 제주에서 일한 제주 정착 1기로, 업무와 생활이 멋지게 결합된 다이내믹 제 주 라이프를 꿈꾸고 있다.

글
이담

한 달의 휴가가
십 년의 삶으로 이어지다

오랜만에 제주를 떠나 부모님을 만나 뵈러 하남시에 있는 집으로 간다. 김포공항역에서 탄 지하철이 2호선과 만나는 영등포구청역에 이르자 한 떼의 사람들이 우르르 몰려 탄다. 여유가 있던 전철 안은 갑자기 부산해진다. 많은 사람들이 전철 안에 들어차니 숨이 턱 막히는 듯하다. 제주도에서 1년 동안 볼 수 있는 사람들만큼을 오늘 하루 동안 다 만나보는 느낌이다. 매일매일 붐비는 지하철로 출퇴근하던 10년 전으로 돌아간 것만 같다. 그때와 달라진 건 사람들이 더 이상 신문을 보지 않고 각자 스마트폰을 만지작거리고 있다는 것 정도.

　제주공항에서 출발해 김포공항까지 비행기로 약 1시간, 공항에 도착하면 지하철 5호선을 타고 천호역까지 다시 1시간, 천호역에서 버스를 타고 30분 정도 가면 부모님이 살고 계신 아파트가 나온다. 김포공항에 도착해서도 2시간 정도를 지하철과 버스로 이동해야 겨우 부모님 집에 도착할 수 있다. 수많은 사람들 틈에 이리 치이고 저리 치이면서 드디어 부모님 집에 도착하고 나면 온 몸에 진이 빠져버린다.

도로 위의 삶, 시간을 죽이다

돌이켜 생각해보면 나의 서울 생활은 도로 위의 삶과 같았다. 하루에 4시간 정도는 출퇴근 길 위에서 허비했던 것 같다. 서울의 동쪽 끝 하남시로부터 직장이 있던 광화문, 혹은 마포까지의 출퇴근은 하루하루가 전쟁 같았다. 대중교통 틈바구니에서 사람에 치이는 게 싫어 자동차를 구입했지만 이번엔 교통 체증과 주차 문제로 길 위에서 보내야 하는 시간은 오히려 더 늘어났고, 나는 늘 피곤했다.

하지만 서울에서 살 때는 그렇게 사는 것을 당연하게 생각했었다. 나 혼자만 그렇게 출퇴근을 위해 고생하는 게 아니었기 때문이다. 회사 동료 대부분은 서울 주변의 위성도시에 있는 집과 도심의 직장을 왕복했다. 밤이면 젖은 솜뭉치 같은 몸을 끌고 들어가 힘겨운 잠을 청하고, 새벽이면 안 떠지는 눈꺼풀을 힘겹게 들어 올려 회사에 나오는 다람쥐 쳇바퀴 같은 삶, 그게 우리 모두의 일상이 아니었던가.

지하철이 힘들다고 구입한 승용차가 고생을 덜어주지는 못했다. 자동차 전용이라는 올림픽대로나 강변북로는 항상 교통 체증으로 길이 막혀 있고, 겨우겨우 집에 도착하면 차를 세울 데가 없어서 동네를 몇 바퀴나 돌아야 했다. 좁은 골목길에 어쩔 수 없이 이중주차라도 해놓을라 치면 언제 차 빼달라는 전화가 올지 몰라 편히 쉬지도 못했다. 자다가도 전화가 울리면 튀어나가서 역시 나와 비슷하게 살아가고 있는 이들의 짜증스런 눈빛을 뒤통수로 느끼면서 차를 빼줘야 했다.

2003년쯤 하던 일을 접고 좀 길게 여행을 하고 싶어서 놀러 온 제주도에 아예 눌러 살기로 결심한 건 아마도 서울이라는 거대 도시에서 느꼈던 스트레스가 이 제주에는 거의 없어서였을 것이다. 하루 24시간 중에 출퇴근 시간으로 4시간을 길에서 허비하는 게 말도 안 되는 것 같지만 모두들 그렇게 살고 있기에, 나 또한 그렇게 살았다. 그러나 제주도에서 그런 삶을 살지 않아도 된다는 걸 문득 깨달았고, 나는 서울을 떠났다.

그렇게 10년. 서울에서의 짧은 일정을 마치고 서둘러 제주공항에 도착하면 그제야 가슴은 크게 열리고, 맑은 공기를 맘껏 들이마신 몸과 마음은 평화를 되찾는다. 북적이는 공항을 빠져 나와 20여 분만 달리면 바로 쉴 수 있는 집이 나온다. 교통 체증도 없고 주차 전쟁도 없다. 시내에서 10분만 움직이면 바다가 바로 보이고 산 쪽으로 올라가면 울창한 숲을 만날 수 있다. 비록 집은 허름하고 버는 돈은 많지 않아도 이런 환경 속에 있다는 것 자체가 행복이다.

저 섬에서 한 달만 살자

서울에서 10여 년 동안 IT 관련 잡지사 기자로 일하면서 많은 사람들을 만났다. 업계의 사람들을 만나서 취재를 하고 각종 신제품 발표회를 쫓아다니는 것도 즐거웠다. 어쨌든 1990년대 우리나라 IT

업계는 매일매일 새로운 일들이 벌어졌고, 수많은 벤처회사들이 혜성처럼 나타났다 사라졌으며 이야깃거리도 넘쳐났다. 아마도 계속 잡지사에서 일을 했다면 지금도 그 언저리 어디에선가 일을 하고 있겠지만, 2000년 전후 벤처붐을 타고 회사를 하나 차린 게 문제였다. 내가 아직 제대로 회사를 운영할 정도의 능력을 갖추지 못했을 때였다. 몇 년 동안 버텨냈지만 결국 회사를 청산했다. 갑자기 시간이 남아돌았다.

"저 섬에서 한 달만 살자."

이생진 시인의 시처럼 그렇게 한 달쯤 제주에서 쉬어 가자 생각했다. 지금은 조금 나아졌지만, 10년 전 제주도에선 나 같은 사람은 일할 만한 게 별로 없었다. 제주도에서 항상 일자리가 있는 몸을 쓰는 일을 잘 못했고, 지인이 있는 것도 아니었다. 돈도 없고 할 일도 없었다. 서울에서 직장 생활을 할 때도 그렇게 많은 월급을 받지 못했고, 회사를 운영하다가 문을 닫는 바람에 빚까지 있었다. 그래도 다행이라면 제주도에서는 돈 쓸 일이 많지 않았다.

서울에서라면 종종 친구들을 만나서 술을 마시거나, 주말이면 교외로 드라이브를 나가거나, 공연을 봐야 하고, 가끔은 백화점에서 쇼핑을 해야 한다. 휴가 때면 남들 다 가는 해외여행도 나갔다 와야 하고, 하다못해 '제주도'행 비행기라도 타야 했을 것이다.

그러나 서울에서는 엄청난 비용을 들여 실천해야 하는 이 모든 일들이 제주에서는 그냥 일상이 된다. 이름난 식당이 아니더라도 마트에서 돼지고기를 사와 마당에서 구워 먹으면 여기가 그냥 맛집이다. 서울이라면 비싼 기름 값과 긴 시간을 도로 위에 투자해야 체험이 가능한 산과 바다가 이곳에선 그저 내 옆에 놓여 있다. 백화점이 없으니 민속 5일장에 가서 장을 보고 군것질로 입을 즐겁게 한다. 공짜에 가까운 공연도 자주 있고, 대형 서점은 없지만 한라산 아래 도서관은 근사하다. 어쩌다 육지로 나와야 할 때 비싼 항공료는 부담이었지만 지금 저가 항공사들의 치열한 경합은 KTX나 고속버스보다 더 싼 가격으로 내게 서울 왕복을 허락한다.

랄랄라 즐거운 제주.

물론 아쉬운 게 왜 없을까. 수천만이 밀집해 있을 때는 이유가 없지 않은 법. 도시의 화려함과 풍요로움, 짜릿한 즐거움, 유행의 첨단 속에 서 있는 주인공의 느낌 같은 것들 말이다. 하지만 가만히 생각해보면 서울에 산다고 해서 그런 것들이 내 것이 되는 것은 아니었다. 백화점의 휘황찬란한 명품은 구경은 할 수 있지만 소유하기는 힘들었고, 번쩍이는 네온사인 아래 즐거워 보이는 선남선녀의 모임에 나는 낄 수가 없었다. 거대한 빌딩에서 일하기는 했지만 그 빌딩은 내가 아닌 그 누군가의 소유였고, 난 그 속에서 다람쥐 쳇바퀴 돌듯 일만 해야 했다. 볼 수는 있으되 만질 수는 없고, 만질 수는 있으되 가질 수가 없었던 삶. 바로 눈앞에 당근을 매달고 사는 배고픈 당나귀처럼 끊임없이 앞으로 달려 나갔지만, 절대로 그 당근을 먹을 수는 없었다. 그것이 거대 도시를 살고 있는 소시민의 비애였다.

지금 많은 사람들이 도시 탈출을 꿈꾸지만, 대부분은 꿈을 꾸는 것에 머물러 있다. 그들 중 또 대부분이 끝내 떠나지 못할 것이다. 도시를 떠난 삶이란 그렇게 상상하기 힘든 것이다. 물론 나도 그중의 하나였다. 서울의 한 복판에서 태어나 30년이 넘게 아스팔트를 고향 삼아 살면서 그것이 세상의 전부인 줄 알던 한 남자는 서울을 떠나고 나서야 그 일이 의외로 쉽다는 것을 알게 되었다. 불치병이라 여겨 몇 년 동안 달고 살았던 산소 호흡기를 떼고 보니 사실은 폐에는 아무런 문제가 없는 걸 발견한 사람의 심정이랄까?

놀멍, 쉬멍 일이 눈에 보이네

처음 제주도에 왔을 땐 딱히 뭔가를 할 생각이 없이 한 달만 푹 쉬다가 다시 서울로 올라갈 생각이었다. 처음 한 달은 정말 아무 것도 안 했다. 자고 밥 먹고 동네 산책 좀 하다가 다시 들어와서 잠을 잤다. 그러다 가끔 서울에서 온 다른 관광객들처럼 제주도 유명 관광지를 구경하기도 했다. 그때 마침 DSLR 카메라로 사진 찍는 재미를 알아서 열심히 사진을 찍어 놓았다. 제주도 곳곳을 돌아다니면서 사진을 찍어보니 점점 폴더에 사진들이 쌓였다. 사진에 대해서 잘 몰랐지만 시시각각 변하는 제주도의 하늘과 구름, 곳곳의 풍경을 찍는 재미에 시간 가는 줄 몰랐다. 넘치는 사진을 정리하다가 블로그를 꾸미기 시작했다. 블로그는 사진을 저장하는 공간이자

일기장 같은 것이었다.

느긋하게 돌아다니면서 만나는 제주도는 예전에 짧은 시간 여행 왔을 때 만난 제주도와는 사뭇 다른 모습을 보여주었다. 오름들 사이를 걸어보면 제주의 속살을 만나는 느낌이었다. 여기저기 돌아다니다가 들어간 허름한 식당에서 나오는 음식들도 어쩜 이렇게 신기하고 맛이 좋은지. 이런 걸 혼자 알고 있기 아까워서 블로그에 제주도 여행 정보와 맛집 정보, 사진 등을 올리기 시작했다.

'제주 뽐뿌'. 내 블로그 이름이다. '뽐뿌'란 어떤 일을 하게 하거나 물건을 사게 하려고 옆에서 부추기는 것을 의미하는 인터넷 용어 '뽐뿌질'에서 따온 것이다. 당시만 해도 제주 여행 정보는 여행사에서 광고를 받아 만든 쿠폰 북이나 관광지 정보가 대부분이었고 일반인이 순수하게 올리는 정보는 거의 없었다. 덕분에 제주 뽐뿌는 금세 꽤 인기 있는 제주 전문 블로그로 자리를 잡았다.

이렇게 서울을 벗어나 제주도의 매력에 빠지다보니 한 달만 있다가 다시 서울로 컴백할 생각은 어느 새 사라져 버리고 조금 더 제주도에서 버티고 싶어졌다. 서울로 돌아가면 잡지사나 출판사 쪽에서 일할 것이 뻔하고, 다시 쳇바퀴 도는 삶으로 돌아가고 싶지 않았다. 도시를 떠나 처음으로 느껴보는 여유를 더 즐기고 싶었다. 가끔 제주도 여행정보를 다루는 신문에 기고를 해서 받는 원고료와 인터넷 아르바이트를 통해 버는 돈으로 최소한의 생활비를 벌면서 버틸 수 있었다.

서울에서 직장생활을 하던 때에 비해 버는 돈은 형편없이 적어졌지만 어차피 돈을 쓸 일도 많이 없었기 때문에 그렇게 불편하지 않았다. 가장 힘들었던 것은 생활비가 아니라 체납된 의료보험료였다. 수입은 거의 없고 들쭉날쭉한데도 부모님이 살고 계시는 아파트가 내 이름으로 되어 있어서 매달 10만 원 이상의 보험료가 나왔다. 이게 계속 밀리니 나중에는 수백만 원의 거금이 되어 있었고, 툭하면 통장 압류가 되어버려 불편한 게 한두 번이 아니었다.

제주도에 아는 사람은 하나도 없었지만 내 블로그나 인터넷 제주 여행 카페를 통해 제주도에도 친한 사람들이 하나 둘씩 생겼다. 이삼 년에 걸쳐 제주도를 돌아다니면서 만난 멋진 풍경과 맛집, 여행 정보를 블로그에 올리다보니 비슷한 생각을 하는 제주 토박이들과도 친하게 되었다. 제주 사람들은 무뚝뚝했지만 무관심하지는 않았다. 외지인에게 마음을 여는 데 시간은 좀 걸리지만 몇 번 같이 술을 마시면서 친해지면 많은 것을 퍼 주는 사람들이다. 이렇게 친해진 몇 명이 술자리에서 이런저런 이야기를 하다가 제대로 된 제주 여행 정보를 제공해보자고 의기투합했다.

제주, 사람을 끌다, 카페를 열다

드디어 2006년 여름, 바다가 아름다운 애월 한담의 레스토랑 자리를 빌려 '아름다운 제주여행자센터'를 오픈했다. 인터넷 카페를 통해 제주도의 멋진 곳과 맛있는 식당을 안내해주었고, 한담센터는 커피와 음료, 소라라면 등을 판매해 여행자들의 휴식 공간 역할을 했다. 여행사의 관광 상품이나 광고로 이루어진 쿠폰 북을 통해 비싼 관광지를 돌아다니고 맛없는 식사를 하면서 실망하고 돌아간 관광객들이 제주에 대해 실망감을 내비치던 때였다.

'제주도는 비싸고 볼 것도 없다. 그 돈이면 차라리 외국으로 나가는 게 낫다.'

도시인들에게 아름다운 제주가 그런 곳으로 치부되고 있던 시절이었다. 우리는 제주도의 진정한 모습을 알리려고 애썼다. 우리와 같은 제주 전문 블로그와 여행 카페들이 만들어지면서 숨어 있던 다양한 제주도의 모습이 알려지기 시작했고, 비슷한 시기에 시작된 제주 올레 열풍으로 제주도의 진정한 매력이 드러나기 시작했다. 갑자기 제주도에 사람들이 몰려오기 시작했다. 해외로 빠져 나가던 사람들이 방향을 틀어 제주로 오기 시작했다.

제주도의 친구들과 함께 문을 연 여행자센터는 딱히 수익모델이 없었다. 공간을 마련하고 인터넷 사이트를 유지하는데 비용이 들었지만 수입은 많지 않았다. 제주도 여행일정을 짜주는 데 따로 돈을 받는 것이 아니었고, 관광지 쪽에서 나오는 약간의 수수료는 센터를 운영하기에 턱없이 부족했다. 보람은 있었지만 먹고사는 문제를 해결하는 것도 중요했다. 결국 2년 정도 센터를 운영하다가 접고 2009년 봄에 제주시 산천단에 조그만 카페를 오픈했다.

산천단은 제주시에서 서귀포로 넘어가는 516도로 입구에 있는데 예전에 한라산 산신께 제사를 지내던 곳이다. 소산오름이 감싸고 있는 아늑한 공간에 수령 600년이 훌쩍 넘은 거대한 곰솔나무가 자리를 잡고 있어 신령한 기운이 감돈다. 마음을 다스리고 싶을 때면 가끔 들러 편히 쉬던 곳인데 이곳에 마침 카페 자리가 났다.

제주도에서는 뭔가 장사를 하고 싶어도 맘에 드는 장소를 찾기가 힘들다. 제주 시내는 인구수는 많지만 복잡한데다 임대료가 비싸고, 임대료가 싼 외곽 지역은 경치는 좋지만 사람들이 아예 다니질 않고, 수리할 것도 많아서 수익을 보기가 힘들다. 하나를 얻으면 하나를 잃는다. 그런데 제주 시내와 멀지 않고 경치도 좋은 산천단에 카페 자리가 났으니 운이 무척 좋았던 것이다. 물론 외곽 지역에도 잘만 찾으면 아주 멋진 곳을 만날 수 있다. 최근엔 워낙 많은 사람들이 내려와 시골 구석구석을 뒤지는 바람에 그마저도 찾기가 힘들어졌지만 여전히 눈썰미 좋고 상상력이 풍부한 사람들에겐 기회가 열려 있을 것이다.

바람 많은 제주에서 안녕을 비는 마음으로

산천단의 빈 가게 자리를 발견하자마자 곧바로 지인 몇 명에게 연락을 해서 공동으로 운영할 사람을 찾았고, 인테리어와 디자인도 제주도에서 만나 친해진 동생에게 맡기기로 했다. 허름하고 무너질 것만 같던 건물을 석 달 정도 걸려 리모델링을 했다.

'바람.' 제주도에 살면 가장 먼저 바람의 위력을 느끼게 된다.

바닷가에 가든, 중산간에 있는 오름에 가든 제주도는 항상 바람과 함께한다. 바람, 돌, 여자가 많아 삼다도란 이름이 붙었다는데 제일 앞에 바람이 나오는 것만 봐도 제주도와 바람은 뗄 수 없는 존재다. 나는 카페 이름을 '바람'이라 했다. 바람에는 또 다른 의미가 있다. 어떤 것을 기원하는 의미의 바람이다. 한라산 산신께 평안과 안녕을 바라던 장소인 산천단에 가장 어울리는 이름이 아닌가.

테이블 여섯 개의 작은 카페 바람은 나의 바람대로 곧 유명해졌다. 많은 손님들이 바람 카페의 커피를 마시기 위해 일부러 찾는다. 이곳에서는 모든 것이 느리다. 내가 직접 커피 생두를 볶아 로스팅을 하고 그 원두를 써서 핸드드립 커피를 만든다. 반짝반짝 빛나는 화려한 에스프레소 기계는 없다. 커피를 갈아 드리퍼에 넣고 직접 손으로 정성껏 물을 흘려서 내리는 커피만 있다. 배고픈 손님을 위해 준비한 식사는 오무라이스. 미리 만들어 두는 음식이 아니다. 주문이 들어오면 그 즉시 만들기 시작한다. 야채를 볶고 밥에 소스를 넣어서 볶음밥을 만든 후, 부드러운 계란 옷을 만들어 입히고 데미그라스 소스를 모양 있게 부어준다. 커피와 오무라이스만 있는 소박한 카페는 제주 토박이들에겐 생소한 곳이지만 제주를 찾는 도시인들에게는 찾고 싶은 공간이 되고 있다.

커피와 오무라이스가 있는 '바람'의 집

사실 내가 커피를 하게 된 계기도 재밌다. 10년 전에는 제주도에 맛

있는 커피를 하는 곳이 거의 없었다. 커피란 음료는 기호식품이기에 어느 정도 기준이란 게 있어서 이 기준을 넘어가면 꽤 기분 좋게 마실 수 있는데, 기준에 미달하면 맘이 언짢다. 처음 제주도에 돌아다니면서 마셨던 커피 중에는 기분을 좋게 하는 커피를 찾기가 힘들었다. 당시는 수입도 거의 없었다. 주머니에 돈이 없으니 천 원짜리 커피도 내게는 귀했는데 그 이상 비싼 값을 주고도 만족하질 못하니 이럴 바에는 차라리 내가 직접 커피를 만들어 먹자고 생각했다. 인터넷으로 생두를 주문하고 로스팅 하는 방법을 공부해 직접 커피를 볶아먹기 시작했다. 실제로 해보니 그리 어렵지도 않고 재밌기도 해서 꾸준히 하게 됐고, 지금 이렇게 커피를 전문으로 하는 카페까지 열게 되었다.

오무라이스는 연구 끝에 탄생한 메뉴다. 처음엔 사이드 메뉴로 샌드위치나 햄버거, 케이크 등을 하거나 파스타 혹은 피자를 해볼까 생각을 했다. 실제로 이것저것 시제품을 만들어보고 메뉴에도 올려보았는데, 시내와 떨어져있는 곳이다 보니 식재료인 야채를 관리하는 것이 힘들었다. 꾸준히 손님들이 찾아주면 재고관리가 어렵지 않겠지만 제주도의 특성이 손님이 몰릴 때 몰리고 한가할 땐 한가해서 양상추같이 쉽게 물러지는 재료는 그냥 버려야 할 때가 많았다. 마음에 드는 빵도 찾기 힘들었고, 직접 베이킹을 하는 것도 무리라 샌드위치 종류는 포기할 수밖에 없었다. 여러 가지를 시도해보다가 내린 결론은 오무라이스! 당근과 양파, 피망, 양송이버섯 등이 들어가고 계란으로 마무리를 하니 재료 보관도 쉽고 무엇보다 커피하고도 잘 어울리는 메뉴다. 오무라이스란 음식은 만들기는 어렵지 않지만 집에서 해먹기 쉽지 않고, 무엇보다도 계란 옷을 입힐 때 요령이 필요해서 연습을 많이 해야 한다. 오무라이스의 원조는 일본이지만 그쪽 스타일보다는 좀 더 볶음밥을 고슬고슬하게 하고 데미그라스 소스도 살짝 매콤하게 해서 우리나라 사람들의 입맛에 맞게 바꾼 것이 주효했다. 가끔 카페에 일본 손님들도 오는데 일본에서 먹었던 것보다 더 맛있다고 말해줄 때면 어깨가 으쓱해진다.

제주도에서는 돈이 있어도 원하는 것을 얻기가 힘들고, 돈이 없을 땐 스스로 해결해 나가야 할 것들이 더 많아진다. 그래서 커피를 직접 볶아서 내려 마시거나, 간단한 목공이나 집수리, 요리를 하거나 낚시를 하고, 텃밭 가꾸기 정도는 스스로 하는 사람들이 많다.

내게 필요한 건 내 손으로 직접 해결하는 자급자족의 삶. 그러기 위해 마음의 여유는 필수다. 그러나 도로에서 서너 시간을 버리는 도시인들에겐 불가능한 삶이기도 하다.

커피 트럭을 몰고 떠날 새로운 여행

나는 카페를 운영하면서 트위터나 페이스북과 같은 SNS 미디어를 많이 쓰는 편이다. 제주 시내에서 멀리 떨어진 구석진 곳에 카페가 있지만 손님들이 많이 찾아오는 것도 SNS를 통해 자연스럽게 홍보가 됐기 때문이다. 일부러 카페를 알리기 위한 홍보 글을 올리지는 않고, 주로 제주의 멋진 풍경 사진과 식당 소개, 커피 이야기를 한다.

요즘엔 제주로 이주를 왔거나, 오려고 하는 사람들을 많이 만나게 된다. 최근 제주도에는 도시 생활을 하다가 이주해 온 사람들의 수가 늘고 있다. 모두 제주 여행을 통해 제주도에 반한 사람들이다. 여행사를 통해 자동차로 주마간산 다녀간 여행자들이 아니다. 직접 정보를 모으고, 남들이 가보지 않은 곳에 가보고, 올레길을 걷고, 느긋하게 제주의 여유를 경험해 본 사람들, 이들은 1년에 몇 번씩 제주도를 찾아오다가 아예 직접 제주도에 집을 구하고, 게스트하우스를 차리고, 카페나 식당을 열고 있다. 덕분에 제주도에는 폭발적으로 게스트하우스와 카페가 늘고 있다. 대부분 서른에서 마흔 초반의 젊은 도시인들이다. 자연이 아름답고 환경이 좋은 제주에서 아이를 키우기 위해 오는 젊은 부모들도 많고, 20대 이주민들도 상당수 보인다.

제주도는 서울과 거리는 멀지만 시간으로는 불과 50분밖에 떨어져 있지 않은 섬이다. 아침에 서울 홍대 앞에서 놀던 친구들이 점심이면 비행기를 타고 제주도로 와서 오후에 게스트하우스에서 뒹굴뒹굴할 수 있을 정도로 가깝다. 물론 그렇다고는 해도 서울을 떠나 이곳에서 산다는 것은 또 다른 결심이 필요하다. 도시의 화려함과 편리함을 버리고 어느 정도의 불편함을 감수해야 한다는 것이다. 그 불편함이 오히려 생활의 여유를 주고 행복을 느끼게 해주지만 말이다. 이곳 역시 사람 사는 곳이라 힘든 일이 없지 않겠지만,

대부분 제주 생활에 행복해 하는 것 같다. 물론 1~2년 제주에서 지내다가 다시 서울로 되돌아가는 사람들도 있다. 하지만 그들도 언젠가는 다시 제주로 되돌아올 것이다. 제주의 삶을 살아본 사람이라면 다시 서울의 삶으로 돌아가기 힘들기 때문이다.

제주 생활 10년 동안 나의 인생은 정말 많이 변했다. 지금도 아침에 눈을 뜨면 보이는 낯선 풍경에 깜짝 놀라기도 하고, 출근길에 지나치는 무성한 숲길에서 매일 감탄의 소리를 낸다. 커피를 볶고 내리면서 낯선 이들을 만나고, 혹은 친밀한 이들을 만나 삶을 나눈다. 10년 전 서울에선 도저히 상상할 수 없는 삶을 살고 있는 것이다.

사람들은 내게 물어본다.

"제주에 계속 사실 건가요?"

난 대답한다.

"글쎄요. 10년 전에는 제가 제주도에서 살게 될지 전혀 몰랐어요. 하지만 지금 나는 제주도에서 살고 있죠."

뒷말은 마음 속에 남겨 두었다. 내가 지금 제주도에 살고 있으리란 걸 예전에는 알지 못했던 것처럼 미래에 내가 어디에서 살지는 누구도 모른다는 것이다. 나는 항상 새로운 여행을 준비하고 있고, 낯선 곳에서의 삶을 꿈꾼다. 아마도 올해는 커피 트럭을 몰고 전국을 여행하고 있을 것이다. 이 불확실한 미래에도 분명한 것은 하나 있다. 그것은 미래에 내가 살 곳이 거대 도시 서울은 절대 아니라는 것이다.

이담

48, 본명 이종진
작가, 제주도 바람카페 대표

서울에서 나고 자라서 학교를 다니고 직장생활을 해온 그는 천생 도시인이었다. 컴퓨터 잡지에서 10여 년 기자 생활을 하다가 인터넷 회사를 차려 3년여 '강남 스타일'로 살았다. 회사 문을 닫고 2003년 한 달의 휴가 여행으로 제주를 찾았다 아예 그곳에 눌러 앉았다. 제주도 친구들과 함께 바다 경치가 기가 막힌 한담에서 아름다운 제주여행자센터를 운영했는데 먹고사는 문제에 부딪쳐 문을 닫았다. 지금은 산천단에서 직접 커피를 볶는 바람카페를 운영하고 있고, 제주를 즐길 수 있는 방법을 알려주는 단행본 <제주버킷리스트 67>을 썼다. '낯선 것과의 조우'라는 삶의 지침에 따라 올해 그는 커피 트럭을 몰고 전국을 떠돌 계획이다. 어느 날 그의 커피 트럭과 마주치는 행운을 갖는다면 제주의 바람으로 내린 드립 커피를 꼭 맛보시길.

충청도에서 노래하는
사이의 이야기

충청도에서는 속마음을 애기하지 말라, 경박해 보이니. 오래전부터 떠돌던 '충청도 양반'이라는 표현답게 남에게 싫은 소리를 하지 못하는 사람들이 사는 곳. 따라서 진짜 속내가 뭔지 알기 어려운 신비주의 양반들의 고향. 하지만 이 때문에 충청도 사람들에게는 적이 없다. 위치적으로 국토의 정중앙에 있어서 위로도, 아래로도 두세 시간 내외면 전국 어디나 갈 수 있기에 지방 이주를 꿈꾸는 이들이 한 번쯤은 고려의 대상에 넣어보는 곳이다. 행정수도 세종시와 계획도시 대전이 세련된 도시의 품격을 자랑하지만 원한다면 깊은 산과 계곡 아래 선비의 품격으로 살아갈 수도 있다. 이 때문에 귀농귀촌 공동체가 활발하게 자리 잡고 있다.

홍대 앞에서 노래하던 인디 뮤지션 '사이'는 서울을 떠나 경남 산청에서 생태 근본주의적인 삶을 살다가 지역 사람들과 좀 더 자연스럽게 어우러지는 삶을 위해 괴산으로 이주했다. 충청도의 강원도라 불릴 만큼 산세가 수려한 청정지역 괴산에서 사이는 노래를 만들고, 지역민들과 함께 노래하는 축제의 삶을 산다.

충청북도 지역 정보

3시 9군의 행정구역이 있다. 우리나라에서 바다에 접하지 않은 유일한 내륙도이다. 북동쪽에 태백산맥, 동쪽에 소백산맥, 북서쪽에 차령산맥이 지나는 남고북저의 분지지형으로 남한강과 금강 유역을 따라 단양, 제천, 한수, 충주, 연풍, 괴산, 음성 등의 침식분지가 발달하고 평야를 형성하여 곡창지대를 이루고 있다. 여름은 고온다습, 겨울은 한랭건조하고 계절의 변화가 뚜렷하여 농수산물이 풍부하고 품종도 다양하다. 서울, 세종시 및 수도권과 인접하여 교통이 편리하고 경제, 교육, 문화가 크게 발달하였다. 고전음악의 3대 악성인 난계 박연(蘭溪 朴堧)의 고향이 영동이고, 우륵은 충주에 거주하는 등 민족예술이 발달하였으며 그 뿌리를 이어가기 위해 충북예술제, 우륵문화제 등을 개최하고 있다.

사이 씨가 정착한 괴산군

1읍 10면의 행정구역이 있다. 소백산맥 줄기에 위치해 대부분 산지와 구릉이며 쌍곡구곡, 선유구곡, 화양구곡 등의 계곡은 뛰어난 경관을 자랑한다. 괴산댐 주변의 훼손되지 않은 자연 생태계를 살려 산막이옛길을 조성한 후 관광객이 늘고 있다. 연교차가 크고 여름에는 집중호우 빈도가 높으며 겨울에는 추운 날씨가 계속 되고 강설량이 많다. 조선의 3대 도적 <임꺽정>을 탄생시킨 작가 홍명희의 고향으로 매년 홍명희 문학제가 열리고 있다. 고추를 비롯하여 청정지역에서 생산되는 농산물과 남한강 발원지에서 잡은 민물생선, 올갱이(다슬기의 방언)국이 유명하다. 매년 7월 둔율 올갱이축제와 8월 괴산 고추축제를 열고 있고 2015년 세계유기농엑스포를 개최할 예정이다.

서울에서 괴산까지 접근성

동서울터미널에서
괴산행 시외버스 이용 시
소요시간 1시간 50분.

자가용 이용 시
서울에서 2시간 거리.

화전민의 노래 :
시골에서 행복하게 살아남기

어제는 과천에서 천막농성을 하고 있는 코오롱 노동자들을 위한 콘서트에 참가했다. 공연이 끝나고 서울로 넘어와 홍대 앞 후배 집에서 잠을 자고, 지금은 살랑살랑 봄볕의 유혹이 여유로운 아침이다. 홍대의 아침은 화려했던 지난밤과는 완전히 다른 모습이다. 깨진 술병, 음식 쓰레기, 뒷골목 지린내에 섞여 엄청나게 비싼 월세를 내고 있을 게 분명한 카페에서 갓 볶아낸 커피 향이 묘한 정서를 자극한다. 마른 볏짚이나 한여름의 무성한 풀냄새와 함께 자랐거나, 먼 이국의 소식을 싣고 오는 파도소리를 친구로 삼았던 사람에게는 몹시 역겨웠을 이 냄새가, 도시에서 나고 자란 나 같은 사람한테는 이상한 향수를 불러일으키기도 한다. 7년 전까지 이 동네에 살면서 서울을 떠나고 싶어 했던 시절이, 저 기묘한 냄새와 함께 기억 속으로 떠오른다.

로큰롤 스타의 꿈, 부산에서 서울로

나는 포항에서 태어났지만 거의 부산에서 자랐다. 어릴 때부터 음악을 무척이나 좋아해서 돈이 생기면 주로 카세트 테이프(중학교)나 LP판(고등학교)을 사는 데 썼다. 밤에는 공부하는 척하면서 심야 라디오를 들었고, 학교에서는 점심시간마다 로큰롤 음악을 트는 방송부원이었으며, 쉬는 시간에는 옆 반에서도 다 들릴 정도로 크게 노래를 불러댔다. 마음 넓은 친구들은 그런 나를 때리지 않고 내버려두었다. 나중에 고등학교를 졸업하고 전혀 모르는 동기 녀석한테 연락이 왔는데, 그 녀석도 내가 노래하는 걸 들었다고 한다.

"우리 밴드에 보컬이 없는데 네가 한 번 해보지 않을래?"

베이스를 치던 친구의 말에 얼른 나는 그러겠다고 했고, 바닷가 작은 소극장에서 첫 공연을 하게 되었다. 함께 밴드를 하던 형들의 권유에 따라 군악대에 들어갔고, 그때까지 음악을 '듣던' 사람에서 음악을 '하는' 사람으로 바뀌어 갔다. 군악대 시절, 평생의 업으로 음악을 하리라 결심했고, 전역하고 난 뒤에는 집을 나와 드럼 치는 친구집 근처에서 자취를 시작했다.

로큰롤 스타가 되기 위해 나는 힘 닿는 데까지 늦잠을 잤다. 방 바닥에서 뒹굴며 비디오나 보다가 저녁이 되면 라면을 끓여 먹었고, 아주 가끔 기타를 치다가 좋은 멜로디가 떠오르면 '혹시 내가 천재가 아닐까?' 추측하기도 했지만, 밴드는 내 맘대로 되지 않고 돈은 너무 없고, 대체로 삶이 지리멸렬했다. 문득 '부산에는 내 음악을 이해해주는 사람이 없다!'는 생각이 들었다. 결국 사람이 태어나면 무조건 올려 보내라는 서울로, 눈 뜨고 코 베어 간다는 서울로, 그래도 서울 사람이 되지는 말자고 다짐하며 짐을 챙겨 부산을 떠났다.

<작은책>에서 만난 새로운 세상

서울에서 첫 직장은 남산에 있는 국립극장 기관실이었다. 보수가 형편없고 비정규직인데다가 미래가 없는 곳이었지만, 일이 하나도 힘들지 않아서 좋았다. 계절이 비 꺾는 걸 냄새로 알 수 있는데다, 아침마다 국립무용단의 아름다운 여자 무용수들이 연습하는 모습을 몰래 훔쳐볼 수 있는 천국이었다. 그렇게 그곳에서 나름대로 만족하며 1년 6개월을 보내고 있을 때, '보리'라는 출판사에 다니고 있던 친구가 나를 꼬여냈다.

"우리 회사에서 <작은책>이라는 잡지를 만드는데 거기서 사람을 뽑는대. 우리 회사는 학력을 아예 안 보고 자기소개서랑 면접만 봐. 그리고 경력이 아니라 나이에 따라 월급을 다르게 주니까, 너도 한번 지원해봐."

고졸 학력에 신입사원이 되기에는 나이가 많던 내게, 친구의 말은 참 달콤했다. 더 이상 당직과 야간 일을 안 해도 되고, 주 5일 근무에다 정규직인데 월급까지 더 많은 자리. 그날부터 며칠 동안 자기소개서를 열심히 썼다. 하지만 내 주제에 잡지사라니, 아마 안 되겠지? 안 될 거야.

살면서 알게 된 것들 가운데 하나는, 인생이란 여행과 같아서 절대 계획한 대로는 되지 않는다는 것이다. 마찬가지로 전혀 생각지도 못했던 일들이 일어나기도 한다. 그렇다. 나는 <작은책> 면접에 제일 늦게 도착했고, 마침 저녁 먹을 시간이라 직원들과 밥을 같이 먹었고, 막걸리를 마시며 이야기를 나누다 왔을 뿐인데, 운이 좋게도 직원으로 뽑혔다.

<작은책>은 일하는 사람들, 즉 노동자를 위한 잡지다. 당연히 노동자들의 삶이 중심 내용이었다. 일하지 않는 사람이 어디 있겠냐만, 그때는 '노동자'라는 단어 자체가 워낙 어색했다. 그동안 타인의 삶이나 사회 문제에는 관심 없이 살아와서 모든 게 낯설기만 했으나 일 때문에 할 수 없이, 노동자들의 삶과 세상 돌아가는 일에 관심을 가져야만 했다. 아침마다 신문을 꼼꼼히 읽어보기 시작했고, 주요 고객이었던 노동조합이 주최하는 집회에도 자주 나갔다. 하지만 재미가 없었다. '노동탄압 분쇄'나 '민주노조 사수'와 같은 말들이 내게는 소고기 가공공장이나 군대에서 쓰는 말처럼만 느껴졌다.

그러다 우연히 '투쟁과 밥'이라는 모임을 알게 되었다. 당시 이주 노동자들이 천막농성을 하고 있던 명동성당에서 일주일에 한 번씩 모여 밥을 (사 먹는 게 아니라) 해 먹는 모임이었다. 그런데 이 친구들은 재미없는 집회장에서 듣던 것처럼 거창하거나 비현실적인 구호를 외치지 않았다. 미리 준비해 온 재료로 함께 요리를 만들고 이주노동자들과 '그냥' 나누어 먹고 집으로 돌아가는 것이었다. 구성원들의 나이가 10대부터 40대까지 다양했는데 모두 편하게 친구로 지냈고, 틈만 나면 노래하고 춤추는 모습이 정말 '쿨'해 보였다. 나도 여기에 낄 수밖에 없었다. 나중에 내가 <작은책>을 그만두고 환경단체에 들어간 거나, 이렇게 시골에서 살게 된 것, 그리고 지금처럼 얼굴을 심하게 찌그러뜨리며 노래하게 된 것도, 다 이 친구들과 함께 지낸 시간이 만들어준 선물이다.

나만의 방식으로 이 터무니없는 세상에 저항하기

친구들 가운데 나만 정규직 직장을 다니고 있었고, 나머지는 대부분 백수건달이었다. 영화를 만들거나 아나키스트anarchist를 자처하는 이, 그림을 그리거나 혹은 알코올 중독자, 대학생이거나 휴학생. 이토록 다양한 인간들이었지만, 멀리서 좋게 보면 집시, 가까이서 있는 그대로 보면 거지들 같았다. 우리는 2004년부터 2005년까지 길거리 밴드 '아콤다'를 만들어 떠돌았다.

아콤다. 아무 뜻이 없는 말이다. 정확한 멤버도 없었고 그때그때 모이는 사람들끼리 연주했기 때문에, 세 명일 때도 있었고 스무 명일 때도 있었다. 나는 기타를 치면서 노래를 불렀고, 친구들은 집에 있는 리코더나 실로폰, 탬버린 따위를 들고 나오거나 그냥 옆에서 춤을 추기도 했다. 심지어는 옆에서 배드민턴을 치고, 캔 맥주를 마시고, 아예 아무것도 안 하는 친구도 있었지만, 그런 건 아무 상관이 없었다. 밴드 이름에 아무런 뜻이 없던 것처럼, 음악은 우리의 목표가 아니라 단순히 어울려 놀기 위한 도구였을 뿐이니까.

우리는 홍대 부근과 수많은 지하철역에서 버스킹(그때는 이런 말을 아무도 몰랐지만, 여하튼 길거리 공연이라 칭하자.)을 하다가 쫓겨나기도 했고, 철거지역에서 철거민들과 어울려 영화를 보거나 앵두를 따먹기도 했다. 자연을 파괴하는 천성산 터널공사를 중단하라며 지율 스님이 단식 투쟁을 하실 때는 종로에 있는 교보문고 앞에서 하루도 빼먹지 않고 노래했고, 미군부대 이전을 둘러싼 싸움이 있었던 평택의 대추리에서는 거의 살다시피 했다.

지하철을 탈 때는 무임승차를, 멀리 갈 때는 히치하이킹을 했다. 편의점에서 술을 훔쳐 마셨고, 아파트 분리수거장이나 쓰레기더미에서 쓸 만한 물건들을 찾아내고는 했다. 푸드코트에서 남들이 먹다 남긴 음식을 먹기도 했고, 술집에서는 앞에 있던 손님들이 남긴 음식을 치우지 말라며 종업원과 싸우기도 했다.

"왜 그러고 살았어요?"

묻는다면 우리는 우리가 가고 싶은 곳을 갔고, 하고 싶은 일을 하면서 살았던 거라고 대답하고 싶다. 그런 게 정상적인 삶이 아닐까? 우리 눈에는 대부분의 사람들이 자신의 생각대로 살지 않고, 남들이 정해놓은 규칙이나 상식을 쫓아서 사는 걸로 보였다. 옳고 그른 것을 따지기 전에, 먼저 자신의 방식을 찾아야만 한다고 생각했다. 그게 자신의 삶인지 남의 삶인지 알지도 못하면서, 출퇴근 시간의 복잡한 지하철에서 꾸벅꾸벅 졸면서, 이리저리 떠밀리듯 살아가는 삶. 그런 건 아니지 않나? 비록 어설프고 투박했어도, 우리는 우리만의 방식으로 이 터무니없는 세상에 저항하고 있었던 것이다.

The End of Suburbia 석유문명에서 탈출하라

어느 날 밴드 멤버 가운데 한 명이 친구들을 불러 모았다. 자기가 외국 다큐멘터리 한 편을 번역해서 자막까지 달았으니, 우리가 그걸 꼭 봐야한다는 것이었다. 제목은 <교외의 종말The End of Suburbia>. 석유 문명에 관한 다큐멘터리였는데, 그 친구 말이 맞았다. 그건 정말로 꼭 봐야만 하는 영화였다.

나는 내가 남들과는 달리 내 뜻대로 살고 있다고 생각했지만 영화를 보고 나니 그게 아니었다. 내가 입는 옷, 내가 먹는 음식, 내가 잠을 자는 집이 모두 다른 사람이 만들어준 것들이었다. 생각해보니 실제로는 나 스스로 할 수 있는 게 거의 없다는 것을 알게 되었다. 나는 그리 크지도 않은 우물 안에서 우주를 누빈다고 착각하며 헤엄치고 있는 멍청한 개구리였다.

옷을 만드는 화학섬유, 식용 동물의 먹이인 사료, 채소와 곡식을 키우는 데 쓰는 화학비료, 집을 짓는 주원료인 시멘트와 콘크리트, 모든 기계와 전자제품을 움직이는 전기, 냉방과 난방의 원료, 멀리 이동할 때 필요한 자동차와 비행기의 동력 등 우리가 누리고 있는 이 도시와 현대 문명이라는 것이 석유가 없으면 무용지물이란 걸 그때 알았다. 그리고 이 석유라는 것은 매장량이 정해져 있어서 언제 바닥을 드러낼지 아무도 모른다는 사실. 영화에 나온 과학자들은 이미 석유생산량이 절정을 지났다고도 했다. 이대로 간다면 곧 엄청난 재앙이 다가올 거라고 했다. 그런데도 우리는 석유를 포함한 화석연료가 영원히 지속될 것처럼 홍청망청 써대고 있다니, 갑자기 이 도시와 인간들이 너무 무서웠다. 지하수가 말라가는 줄도 모르고 집 안에서 수도꼭지를 계속 틀어놓고 있는 꼴이었다.

"이대로는 안 되겠어. 다른 방식으로 삶을 바꾸지 않으면 망하고 말거야."

서울이 거대한 욕망의 용광로로 보이면서, 떠나고 싶다는 생각이 들었다. 그 뒤로 내 관심은 에너지 문제에서 생태, 환경 전반으로 넓어졌고, 친구들과 유럽의 생태공동체를 다녀오기도 했다. 그 사이 밴드는 연애 문제로 깨졌고, 회사에서는 내가 감당이 안 된다며 정중히 퇴사를 권유했다. 덕분에 실업 수당을 받으면서 혼자 홍대 클럽에서 노래하기 시작했다. 나중에는 시골에 살기 위한 정보를 모으려고 '인드라망 생명공동체'라는 환경단체에 들어갔다. 그때 아내를 만났다. 이 단체에서 귀농학교를 운영하고 있었는데, 아내는 거기서 제일 젊고 예뻤다. 아내도 시골에서 살고 싶어 했고 자급자족을 꿈꾸고 있었기 때문에 우리는 금방 친해졌다. 결국 서로 하던 연애를 과감히 접고(!), 만난 지 6달 만에 빙하가 녹아도 잠기지 않을 것만 같은 경남 산청 높고 깊은 산속 마을로 같이 들어갔다.

생태근본주의를 닮은 산청에서의 3년

산청에서의 생활은 생태근본주의라고 불러도 좋을 만한 것이었다.

3년 동안 제일 많이 나왔던 전기세가 1600원이었는데, 텔레비전이나 인터넷, 냉장고와 세탁기 같은 전기제품을 쓰지 않았기 때문이었다. 추워지면 구들방에 나무를 땠는데, 엔진 톱 없이 손 톱만으로 세 번의 겨울을 지냈다. 죽은 나무와 다른 사람이 버리고 간 잔가지들만 주워 왔기 때문에 도끼질을 할 필요도 없었다. 묵은 밭을 갈 때는 기계의 도움 없이 오로지 삽과 괭이로 뒤집어엎느라 몸매가 섹시해졌다. 산수국이 필 때를 기다려 뒷산에서, 단 스무 명의 하객만을 모시고 맨발로 혼인식을 올렸다. 각자의 예복을 직접 만들어 입고, 머리에는 산수국으로 만든 화관을 쓰고, 주례 없이 혼인선언문을 낭독해 하늘과 땅에 알렸으며, 우리가 직접 축가를 만들어 불렀다.

이웃과 친구들의 도움으로 450만 원짜리 집도 지었다. 기계를 빌려 흙벽돌을 찍어 말린 뒤 기둥도 없이 벽체를 쌓고, 공장에서 나온 폐자재로 문틀, 창틀, 지붕을 만들었다. 문과 창문은 미리 고물상이나 길에서 주워 온 것에 따라 크기가 정해졌다. 책을 보고 구들도 대충 놓았고, 물은 계곡 위쪽에서 발견한 바위틈 샘물에 호수를 꽂아 자연스럽게 흘러내리도록 했다.

산청에 살면서 우리는 스스로 귀농이라는 말이 어울리지 않는다고 생각했다. 농업을 직업으로 삼고 싶은 생각이 없었고, 농촌 공동체가 우리를 행복하게 해줄 거라는 믿음을 가진 것도 아니었기 때문이다. 그보다는 돈이나 석유에 의존하지 않고, 남들이 정해놓은 방식이 아니라 우리의 생각대로 살아가는 것이 중요했다. 그런데 우리가 보기에는 도시뿐만 아니라 시골 사람들의 삶에서도 돈과 석유가 제일 중요한 것처럼 보였다. 그래서 마을 안에서 살 때도 원주민들과 잘 어울리지 못했다. 젊은 놈이 나가서 돈 벌 궁리는 않고 허구한 날 집에서 빈둥댄다고 만날 혼나기도 했다.

대신 우리한테는 비슷한 생각을 가진 이웃들이 있었다. 서로 걸어서 갈 수 있을 만큼 적당히 떨어져 있으면서, 자주 모여 함께 밥을 먹고 수다를 떨었다. 모두 돈이 아니라 먹기 위해서 농사를 지었고, 스스로 집을 짓거나 고칠 수 있었으며, 아이를 학교에 보내지 않았다. 어떤 사람들은 아이를 학교에 보내지 않는다고 하면, 마치 개한테 개밥을 주지 않는 것처럼 생각하기도 하는데 절대 그렇지 않다. 같이 놀 친구만 있다면, 아이들은 학교에서보다 책과 자연과 부모에게서 더 많은 걸 배우니까.

사람들과 어울려 살기 위해 괴산으로

우리는 산청에서 많은 것을 배웠고 그 시절의 경험과 생각을 바탕으로 아직도 살아가고 있지만, 지금은 생태근본주의를 버렸다. 많은 일과 사람들을 겪으면서, 결국 내가 대단한 사람이 되려고 한 게 아니라, 행복하게 살고 싶어서 시골에 왔다는 걸 깨달았다. 산청에서 우리는 꽤 대단했지만, 그것만으로는 행복해질 수가 없었다. 풀하나가 자랄 때도 물과 흙과 햇빛이 필요한 것처럼, 사람도 거울이 있어야 건강하게 살 수 있다는 걸 깨달은 것이다. 당연히 나의 거울은 내가 아니라 다른 사람이다. 어떠한 생명도 저 혼자서만 살 수가 없고, 다른 생명들과 함께 어울려서 살아야만 한다는 것. 생태근본주의도 좋지만, 내가 너무 대단하면 다른 사람이 들어올 자리가 없다. 그래서 대단한 사람보다는 행복한 사람이 되기로 했다.

우리는 산청에서 나와 괴산으로 이사해 지금까지 살고 있다. 아주 평범하게 살고 있다. 냉장고와 세탁기를 고맙게 쓰며, 50만 원짜리 트럭은 중고 승용차로 바뀌었고, 인터넷 라디오를 들으며 노트북으로 이 글을 쓰고 있다. 나는 음악가의 정체성을 다시 갖게 되었고, 요즘엔 공연을 아주 많이 다닌다. 괴산에 살면서 낸 두 번째 앨범은, 산청에서 제작, 녹음, 연주, 판매까지 모든 걸 혼자 해냈던 첫 번째 앨범과는 달리, 스튜디오에서 녹음을 하고 바코드까지 찍혀 있는 '공식' 앨범이다. 제천국제음악영화제에서 주최하는 '거리의 악사 페스티벌'에서 우승하면서 제작비 지원을 받아 음반을 제작했다.

이렇게 많은 것이 바뀌었다고 하면 사람들은 "거봐, 내가 뭐랬어? 그렇게는 살 수 없다고 했잖아"라고 말하고 싶을지도 모른다. 하지만 아니다. 나는 아직도 냉장고와 세탁기가 없어도 살 수 있다고 생각하고(생각보다 어렵지 않다), 에너지와 환경문제가 심각하다고 믿는다. 또 지금은 아들 느티가 유치원에 다니고 있지만, 이 녀석이 좀 크면 학교에 가지 않고 나랑 같이 밴드나 하면서 돌아다니면 좋겠다.

먹고 싶은 게 있으면 먹고, 가고 싶은 곳에는 언제든지 갈 수 있는 형편이 되었지만, 여전히 통장 잔고는 별로 없다. 그래도 우리는 쫄지 않는다. 어차피 세상은 다 가질 수가 없다는 것을 아니까. 세상에 공짜가 어디 있겠나. 돈을 많이 가지려면 그만큼 몸이나 정신이 고생을 해야만 한다. 선택이란 건 무엇을 하나 더 가지는 게 아니라, 둘 중에 하나를 버리는 것. 우리는 (남들이 보기에) 가난을 택했고, (남들이 모르는) 즐거움을 누리고 있다. 좋아하는 음악을 하면서 돈을 벌고, 그것만 가지고도 한 가족이 잘 먹고 산다는 게 한국에서는 결코 쉬운 일이 아니다. 그래서 가끔은 우리가 너무 팔자가 좋은 게 아닌가 걱정하기도 한다. 당연히 우리를 부러워하는 사람도 많다. 서울에서 아옹다옹 사는 게 지겨워서 시골로 내려가 개나 키우며 살고 싶지만, 지금 당장은 여러 가지 여건이 받쳐주지 못한다면서, 마흔 살이 되거나 딱 1억만 모아놓고 나서, 아니면 자식들 대학까지 다 보내고 나면, 그 뒤에 한적한 곳으로 들어갈 거라고들 한다. 그러나 보통 하고 싶은 것을 하지 못할 때는 실력이 없어서나 형편이 되지 않아서가 아니라 두려움 때문인 경우가 많다. 아니면 그 일을 정말로 원하는 게 아니던가.

우리는 뭔가 괜히 두려워져서, 대학에 꼭 가야만 한다고 생각한다. 광고나 드라마에 나오는 사람들과 비교하면 뭔가 실패한 사람이 된 것도 같고. 하지만 능력 있는 남편을 만나 고급 아파트에 살고, 비싼 차에 아이를 태워 여기저기 학원으로 내돌리고 나면 그 두려움이 없어질까? 아마 아닐 것이다. 어쩌면 내가 록 스타가 되겠다고 부산에서 서울로 간 것도 그런 두려움 때문이었을 것이다. 남과 같은 삶을 살고, 남보다 성공해야 그 두려움이 없어질 줄 알았다.

지금은 자신감과 상상력만 있다면 지역에서도 충분히 내 꿈을 이루는 게 가능하다고 생각하지만, 그때는 뭘 몰랐으니까.

괴산의 소문난 동네 축제

괴산에 와서 예전부터 생각해오던 음악페스티벌을 하나 만들었다. 작년까지 딱 두 번 했을 뿐이지만 벌써 사람들의 입소문을 타고 있는 동네 축제다. 하지만 동네 축제라고 얕보아서는 안 된다. <괴산페스티벌 선언문>이란 걸 먼저 인터넷에 띄워놓고, 거기에 동참할 수 있는 관객들만 가려서 받는 매우 건방진 페스티벌이니까. 게다가 1박2일 동안 먹고 마시고 잠자는 것을 관객이 스스로 준비해야만 하는 불편한 축제. 이렇게 불편하고 건방진 페스티벌인데도 첫 해에는 150여 명이, 작년에는 300여 명이 모여서 신나게 놀았다. 나는 이런 식의 동네 축제가 지역마다 생겨나면 좋겠다. 돈을 위해서가 아니라, 꼭 서울이 아니더라도, 내가 원하는 방식으로 잘 놀 수 있다는 것을 스스로 증명해내는 것. 이런 즐거움이야말로 갈수록 팍팍해지고, 거대해지고, 끝을 모르고 달려가는 세상에서 행복하게 살아남을 수 있는 대체 에너지가 아닐까? 벌써부터 올해 괴산페스티벌이 기다려진다.

괴산페스티벌 선언

첫째, 돈이 아니라 사람이 주인인 축제!

지금 한국에는 거대한 음악 페스티벌들이 많이 생겨났지만 대부분 돈을 벌기 위해 벌이는 장사일 뿐이다. 행사장에는 대기업들의 홍보 부스가 넘쳐나고, 관객들은 비싼 돈을 들여 젊음과 음악을 소비할 뿐이다. 그들이 돌아가고 난 뒤에는 쓰레기와 장사꾼들의 주머니만 불어난다. 우리는 거대한 자본이 아니라도 충분히 즐길 수 있다는 걸 보여주고 싶다. 그래서 수익을 내지 않고 티켓팅을 하지 않는다. 함께 즐겁게 놀고 뮤지션들한테 차비와 소소한 공연비 정도만 줄 수 있으면 그만이다. 대신 우리의 뜻에 공감하는 사람들에게 후원금을 받겠다. 여유 있는 사람은 기분 좋게 더 내고, 없는 사람은 떳떳하게 안 내는 것. 이것이 평등이다.

둘째, 서울이 아니라 시골에서!

시골 사람들은 잘 놀 수 있는 기회를 원하고, 도시 사람들은 자연을 그리워한다. 우리가 이 둘을 다 만족시키겠다. 우리는 상상력만 있다면 지역에서도, 시골에서도 충분히 즐길 수 있다고 믿고, 그것을 보여주기 위해 이 페스티벌을 시작했다. 도시에서 찾아오는 사람들에게는 '여차하면 도망칠 수 있도록 재밌는 시골을 만들어 놓을 테니 당신들은 쫄지 말고 당당하게 살아가라'는 메시지이며, 시골에서 뭔가 재밌는 것을 기다리는 지루한 술꾼들을 위해 벌이는 잔치다. 그리고 이것이 새로운 시대의 멋이 되고, 돈을 벌기 위해 꾸미는 가짜 페스티벌이 아니라 사람을 위해 벌이는 진짜 페스티벌의 모범이 될 것이다. 우연히 우리가 괴산에 살기 때문에 우리는 괴산에서 시작했다. 당신은 당신이 사는 곳에서 시작해보라. 우리를 벤치마킹하라!

셋째, 편한 것은 끝이 없지만 불편함은 끝이 있다!

자본주의는 인간의 욕망을 부추기기 위해 너무 많은 친절을 베풀고 있다. 버튼 하나로 청소를 하고, 빨래를 하고, 자동차를 움직인다고 광고를 하지만, 사실 우리는 그 버튼 하나를 누르기 위해 온갖 노동에 시달리거나 너무 많은 사람들을 괴롭혀야만 한다. 우리는 수세식 화장실과 같은 가짜 친절과 거짓 깨끗함에 반대해야 한다. 우리가 먹고 싸는 게 무슨 색이고 어떻게 생겼는지, 그리고 그것이 어디로 가는지 알아야만 한다.

우리는 나중에 이자를 보태 비싸게 갚아야만 하는 신용카드의 편리함을 반대한다. 우리는 깨끗해 보이지만 몸을 병들게 하는 농약 덩어리 채소의 편리함 대신, 불편함을 선택해야만 한다. 그리고 그 불편함을 재료로 멋진 놀이를 만들 것이다. 돈을 위해 준비된 가짜 축제 뒤에 남는 쓰레기 대신, 남길 것 없이 말려서 훌륭한 음식이 되는 시래기를 원한다. 우리가 판을 벌일 테니 당신들은 놀 준비를 단단히 해서 오라. 잠자리와 먹을 것, 마실 것 따위를 당당히 들고 오라. 우리는 불편을 상상력으로 바꿀 수 있는 사람을 원한다. 그것이 우리 페스티벌의 입장료다.

하지만 어디까지나 이것은 축제이지 따분한 회의가 아니다. 고민은 우리가 축제를 준비하는 동안 충분히 할 것이니 당신들은 와서 즐기면 그만이다. 그리고 시골 페스티벌이라고 우습게 보지 말라. 언제나 우리가 할 수 있는 최고의 라인업을 보여줄 거니까. 우리는 그 라인업이 펼치는 음악과 관객들의 후일담으로, 우리의 선언을 아름답게 마무리할 거니까.

사이

40, 유기농 펑크 포크의 창시자

인디 뮤지션

부산에서 밴드를 하다가 서울로 올라가 국립극장 기관실 냉동기를 돌리고 화장실 고장 난 것을 고치는 일을 했다. 그러던 중 우연히 출판사에 들어가 잡지 만드는 일을 하게 되었고, 아콤다라는 밴드를 만들어 길거리 음악을 했다. 우연히 접한 한 편의 다큐멘터리를 통해 생태환경에 관심을 갖게 되고 환경 단체에서 만난 아름다운 여인과 경남 산청으로 이주했다. 산청에서 결혼하고 아이를 낳아 키우는 동안 석유 에너지를 최소한으로 사용하며 자급자족하는 생태근본주의 삶을 살았다. 그러다 그 어떤 생명도 혼자서는 살 수 없다는 것을 깨닫고 사람들과 어우러진 삶을 꿈꾸며 괴산으로 삶의 터전을 옮겼다. 서울에서 사람들의 도움을 받아 앨범도 내고, 전국 곳곳을 떠돌아다니며 공연도 하고 그때그때 하고 싶은 일을 하며 살고 있다.

강원도로 떠난
배요섭, 김승완의 이야기

이곳에서 산은 너무 거칠고 험하다. 바다는 무섭도록 짙푸른 빛깔이다. 1년의 반은 겨울, 춥고 황량했던 이곳은 바로 그런 이유로 오늘날 대한민국 사람들로부터 가장 사랑받는 휴식과 여행의 공간이 되었다. 여름과 겨울을 잇는 각종 레저 스포츠의 고향 강원도. 아마도 2018년 평창 동계 올림픽은 그 정점을 찍을 터이다. 아름다운 산과 바다를 갖고 있는 뛰어난 자연 환경, 크고 작은 도시들의 문화 실험이 왕성하게 일어나고 있는 곳. 화천에서 지역문화 공동체로 새로운 방향을 제시하고 있는 극단 '뛰다'와 연극 연출가 배요섭 씨는 그 대표 주자다.

속초에서 전자출판으로 새로운 실험을 하고 있는 김승완 씨의 지역 정착기는 지역에서 일어나는 스몰 비즈니스의 새로운 가능성을 보여준다. 디지털 기술의 발전이 오히려 대도시에 집중된 비즈니스를 지역으로 분산시키는 통로가 될 수 있다는 걸 보여주는 흥미로운 실험 이야기에 귀 기울여 보자.

강원도 지역 정보

7시 11군의 행정구역이 있다. 한반도의 척추인 태백산맥을 중심으로 동쪽은 영동, 서쪽은 영서지방으로 크게 구분된다. 영동은 대관령, 미시령, 진부령, 한계령 등 많은 령과 계곡이 있어 경관이 빼어나다. 영서는 고원이 많아 논보다 밭이 발달해 있으며 하천생태계가 잘 보존된 청정지역이다. 하천의 평화의 댐, 춘천댐, 소양강 다목적댐, 의암댐 등은 산업 및 식수의 공급원이다. 여름에는 고온다습하고 겨울에는 한랭건조한 대륙성 고기압의 영향을 받아 춥고 건조하며 눈이 많이 내린다. 고랭지에서 자라는 배추, 눈이 많은 산간지방의 특성을 살린 황태, 척박한 환경에도 잘 자라는 옥수수, 메밀 등의 작물이 많이 나온다. 강릉의 경포대와 정동진은 해돋이로 유명하고, 춥고 눈이 많이 내리는 지역 특성을 살린 평창 송어축제, 대관령 눈꽃축제로 관광객의 발길을 사로잡고 있다.

배요섭 씨가 정착한 화천군

1읍 4면의 행정구역이 있다. 면적의 86.2%가 산지로 형성된 화천은 최전방 고지에서 흐른 계곡물이 모여 파로호를 이루고 화천강과 북한강이 흐르는 물의 나라이다. 산천어와 수달이 사는 청정 지역. 여름철은 고온, 겨울철은 저온으로 기온차가 크다. 38선 아래 최전방에 위치하여 마을마다 군부대가 하나씩 있다고 할 정도로 군인이 많고 한국전쟁 당시 치열한 격전지였던 꺼먹다리와 세계평화의종 등 전쟁의 상흔이 남아있다. 소설가 이외수 씨가 살고 있고 문학관이 있는 감성마을에는 사람들의 발길이 끊이지 않는다. 매년 8월에 토마토축제가 열리며 매년 1월에는 세계 겨울 7대 불가사의로 자리 잡은 산천어축제가 열린다.

서울에서 화천군까지 접근성

 동서울터미널에서 화천행 시외버스 이용 시 소요시간 2시간 40분. 상봉 터미널에서 화천행 시외버스 이용 시 소요시간 2시간 30분.

 상봉역에서 경춘선 이용 시 소요시간 1시간 15분. 춘천역에서 하차 후 춘천시외버스 터미널에서 화천행 시외버스 이용.

 자가용 이용 시 서울에서 1시간 20분 거리.

김승완 씨가 정착한 속초시

8동의 행정구역이 있다. 동쪽으로는 맑은 동해, 서쪽으로는 웅장한 설악산을 경계로 양양, 고성, 인제군과 접하고 있다. 산과 바다를 접하고 있는 배산임해이며 호수 청초호, 영랑호와 온천, 해수욕장 등의 자원이 발달하였다. 배산임해의 지역 특성에 따라 해양성기후 양상을 나타내고 있어 비교적 온화한 편이나 폭우와 폭설의 영향을 많이 받는다. 속초관광수산시장의 닭강정과 신선한 오징어 등 해산물과 먹을거리가 풍부하다. 4월 설악벚꽃축제와 7월 장사항 오징어 맨손잡기축제, 11, 12월 양미리축제가 열린다.

서울에서 속초시까지 접근성

 동서울터미널에서
속초행 시외버스 이용 시
소요시간 2시간 10분.

 센트럴시티터미널에서
속초행 고속버스 이용 시
소요시간 2시간 30분.

 자가용 이용 시
서울에서 2시간 거리.

시골마을 예술텃밭에서
연극으로 농사 짓기

2006년 여름, 나는 전라도 여기저기를 돌아다녔다. 문이 닫히고 폐허가 된 학교들이 마을 곳곳에 버려져 있었다. 풀들이 웃자라 운동장을 지키던 책 읽는 소녀는 보이지 않았다. 그런 폐허를 바라보며 연극하는 동지들이 함께 땅을 일구며 연극하는 삶을 사는 꿈을 꾼 적이 있었다. 그날의 여행은 외롭고 춥고 멀었다. 그리고 4년이 지난 2010년 여름, 우리는 화천의 어느 작은 폐교에서 정착을 시작하게 되었다. 교실 벽을 무너뜨리고, 다시 세우고, 벽에 흙을 바르고, 물을 끌어오고, 한 여름 매나니 ^{아무 도구도 갖지 않은 맨손} 노동으로 공간을 살려내면서 그 꿈의 첫 발을 내디뎠다. 그리고 다시 3년이 지난 2013년 봄, 아직 겨울의 찬 기운이 물러가지 않은 학교 작업실에 앉아서 이 글을 쓰고 있다. 그 동안 우리에겐 어떤 일들이 있었던 것인가. 창밖엔 그믐달이 저물어가고, 나는 지난 시간을 돌아본다.

연극으로 사람들의 심장을 뛰게 만들 수 있다면

연극원을 졸업하던 해, 2001년, 졸업 동기들 여덟이 모여 극단이란 걸 만들었다. 호기심과 열정이 드높았던 젊은 시절, 우리는 십시일반 돈을 모아 방학동 지하 단칸방에 연습실을 만들고 매일 같이 모여 작당모의를 하기 시작했다. 연습실은 우리에게 몸을 움직이고, 삶을 나누고, 뜻을 세우는 곳이었다. 우리의 바람은 단순했다. 우리는 연극을 통해 많은 사람들을 만나길 원했다. 왜냐고 누군가 우리에게 묻는다면 대답 역시 간명했다. 재미있으니까.

우리에게 미래는 안개 속에 가린 것처럼 막막했지만, 한가지 확실했던 것은 연극이 우리의 삶을 어디론가 이끌어 갈 것이라는 믿음이었다. 우리의 연극을 만나는 사람들의 마음이 움직이길 바랐고, 그들로 인해 우리 삶도 더 행복해질 수 있을 것이라 믿었다. 사람들의 심장을 더 가쁘게 뛰게 만들고, 우리는 그 한 믿음으로 뛰어가리라는 마음에, 극단 이름도 '뛰다'라고 지었다. 그 앞에 거창하게도 '공연창작집단'이란 수식어도 덧붙였다.

우리가 처음 만든 작품은 '어른들을 위한 인형극'이란 부제가 붙어 있다. 셰익스피어의 <한여름밤의 꿈>을 손가락만한 작은 줄 인형과, 사람보다 두 배는 더 큰 가면들을 이용해 표현한 작품이었다. 두 번째 작품은 '가족극'이란 부제가 붙어 있는 <하륵이야기>로, 어린이 연극이었다. 엄마들이 아이들을 극장에 넣어 놓고 쇼핑하러 다니던 그때, 부모와 아이들이 함께 볼 수 있는 공연이 되길 바랐다. 그런데 이 작품은 정말로 아이들과 어른들로부터 꾸준한 사랑을 받았다. 부모가 아이에게 먹힘으로써 해피엔딩이 되는 조금 과격한 스토리였지만 크고 작은 인형과 가면들로 표현하는, 당시에는 제법 참신한 양식의 공연으로 좋은 평을 얻을 수 있었다. 덕분에 우리는 처음의 그 거창한 꿈을 조금씩 키워 나갈 수 있었다.

화천의 물빛, 아이들의 눈빛

2005년 여름, 우리는 <고슬고슬>이란 작품을 들고 화천으로 공연 여행을 떠났었다. 우리는 매년 시골의 문화 소외지역으로 순회공연을 했었는데, 지도를 놓고 오지 중에 오지라고 생각하고 찍은 곳이 화천이었다. 공연하는 우리를 바라보는 아이들의 맑고 순수한 눈빛만큼이나, 화천의 풍광은 아름다웠다. 아침 계곡으로 피어오르는 물안개, 뜨거운 여름의 열기를 단숨에 식혀주는 차가운 계곡의 물, 산 아래 아기자기하게 자리 잡은 논과 밭들도 우리의 시선을 사로잡았다. 전국 방방곡곡을 돌아다니며 공연을 해오면서 많은 사람들과 자연을 만나왔지만 화천은 특히 기억에 남았다. 그때까지만 해도 우리가 화천에 들어와 둥지를 틀 것이라곤 아무도 상상하지 못했었다.

2001년 극단을 시작한 이후, 연극을 하면서 살아갈 수 있는 가능성들을 모색해 왔다. 이런 노력은 근원적인 질문들을 동반한다. 우리는 왜 연극을 하는지, 이 시대에 연극은 어떤 의미가 있는지. 공연할 수 있는 극장을 찾지 못해 길거리에서, 공원에서, 미술관 마당에서, 해변에서, 온 몸으로 부딪쳐가며 연극의 길을 시작한 우리는 그 후로, 매년 새로운 작품을 만들어 극단의 색깔을 찾아가며 자리를 잡아 갔다. 대학로 극장에서 장기 기획공연도 해보고, 해외로

초청공연도 다녀보고, 지방의 문예회관들로부터 초청을 받아 공연하기도 했었다. 극단의 이름도 점차 알려져 갔고, 작품성을 인정받으며 조금씩 성장해 갔다. 많지는 않지만 수입도 안정적으로 생기게 되었고, 지하 연습실에서 탈출하여 햇볕이 드는 지상으로 연습공간을 옮기기도 했다. 하지만 여전히 서울에서 우리가 얻을 수 있는 작업공간은 스무 평 남짓한 상가 건물이었다.

많은 극단들이 대학로 가까이에 모여 있다. 대부분의 극장들이 대학로에 있기 때문이다. 그래서 많은 연극인들이 대학로 근처 연습실을 빌려 연습하고 공연이 있을 때면 한 달이고 두 달이고 대학로에서 살다시피 한다. 그런데 우리는 그런 경우와는 조금 달랐다. 이런 저런 이유로 대학로보다는 다른 도시, 다른 나라에서 공연하는 기회가 더 많았다. 그리고 공연하는 것보다 작품을 만들기 위해 준비하는 시간들이 훨씬 더 중요했다. 배우들과 훈련하고, 훈련의 틀을 탐구하고, 실험하기 위해 연습실에서 더 많은 시간을 보내야 했다. 그래서 도시의 작고 답답한 연습실을 떠나 화천의 높은 자연을 만났을 때의 해방감은 더 컸을 것이다. 아마도 그 즈음부터 그런 꿈들이 피어나기 시작했던 것 같다.

공간의 전환은 삶의 전환을 의미한다

처음 도시를 떠나야겠다고 생각한 것은 오로지 창작에 전념할 수 있는 공간이 필요해서였다. 월세와 대관료에 시달리지 않고, 좀 더 자유롭게 창작하고 공연할 수 있으면 얼마나 좋을까 생각했는데, 도시에서는 우리 힘으로 불가능했다.

산업자본주의 시대에 연극이 살아남을 수 있는 방법은 두 가지라 생각했다. 시대의 흐름에 맞게 좀 더 대중적이고 잘 팔릴 수 있는 작품을 만들어 가든지, 아니면 고상한 예술가의 사존심을 지키며 박물관에 들어앉든지. 그런데 우리는 그 어느 쪽에도 어울리지 않았다. 우리는 여전히 연극이 이 시대에 살아남을 수 있는 어떤 힘이 있다고 믿었다. 그때는 그것이 뭔지 잘 몰랐다. 하지만 도시에서의 그런 삶의 형태가 답답하다고 생각되는 순간부터 이미 그 답을 찾아가고 있었음을 우리는 나중에 알게 되었다.

2008년 헝가리 커포슈바르kaposvár의 호텔방에 모여 앉아 뛰다의 단원들은 심각한 회의에 들어갔다. 공연을 막 끝내고 광장에서 맥주 한 잔씩 마신 후, 한 방에 모여 앉았다. 극단의 귀촌을 두고 길고 진지한 논의가 시작되었다. 화천에서 전원마을 조성사업을 하는데, 우리 극단을 중심으로 마을을 만들어 보자는 제안이 들어온 것이다. 극단의 연습실과 극장은 마을의 커뮤니티 공간이 되고, 예술가들이 머물며 작업할 수 있는 창작 레지던스 공간까지도 마을 안에 품을 수 있는 매력적인 제안이었다. 우리 단원들은 스무 가구 정도 마을 규모에 네다섯 가구의 구성원으로 참여하면 되었다. 서울의 전세금 정도면 각자의 집을 지을 수 있을 거 같았다.

하지만 문제는 그렇게 간단하지 않았다. 이것은 단지 공간을 이동하는 문제만이 아니라는 것을 긴긴 회의를 통해 깨달았다. 단원들의 생각은 조금씩 달랐다. 결혼한 단원들은 배우자와 함께 움직여야 하는 것을 의미했고, 그 배우자도 이 이동의 의의를 함께해야 하는 것이었다. 그리고 그것은 연극의 방식뿐 아니라 새로운 삶의 방식을 공유하는 것을 의미하는 것이었다. 게다가 단원들조차도 막상 서울을 떠난다는 것이 두려웠고, 그 가치에 전적으로 동의하지 못했다. 밤새 이야기를 하며 서로를 설득하기 위해 언성을 높이기도 하고 눈물을 흘리기도 했다. 결국 아무런 결론도 내리지 못한 채 한국으로 돌아와야 했다. 가족을 설득하기 전, 우리는 다 함께 이 새로운 방식으로 연극하는 것에 대한 공유와 확신이 필요했다.

그 후, 우리는 두 차례에 걸쳐 단체 합숙훈련이란 기회를 갖게 되었다. 경기도 양평의 시골학교 문화공간이라는 곳에서 한 달 동안 함께 먹고 자고 훈련을 한 것이다. 그 기간 동안 만든 공연으로 지역의 초등학교 아이들과 연극놀이 워크숍도 하고, 마을 주민들을 위한 공연도 했다. 나는 매일 아침 땅의 기운을 받으며 맑은 공기의 숨을 쉬는 것이 좋았다. 그 시간은 나를 치유하는 시간이었고, 그곳을 찾은 사람들과의 만남은 더 소중했다. 평생에 우리 연극이 첫 경험이라며 행복한 얼굴로 극장을 나서는 아흔 세 살 할머니를 보며 행복해 했다. 하지만 그것이 불편한 사람도 있었다. 서울 집은 너무 멀었고, 함께 사는 것은 불편했고, 외진 그 곳은 오히려 답답했다. 여전히 질문은 풀리지 않은 채 남았다.

"도대체 왜 자꾸 도시를 떠나려 하는 건가요?"

배우의 몸을 벼리고 창작의 영감을 얻는 곳

결국 단원들과의 합의에 실패했고 화천의 전원마을 입주는 포기할 수밖에 없었다. 하지만 2년 후 결국 우린 화천에 들어오게 되었다. 묘한 인연이다. 5년 전 순회공연의 추억을 떠올리며 다시 화천으로 순회공연을 기획하게 되었다. 공연을 준비하던 중 잠시 차를 타고 근처를 돌아다니다가 우연히 허름하고 작은 폐교를 지나치게 되었다. 인적이 없어 보였다. 한동안 한옥학교로 사용하다가 방치한 지 몇 달 된 것 같았다. 작고 허름했지만 우리에게 적당한 규모의 학교였다. 우리는 무작정 군청을 찾아갔다. 그곳에서 연극을 하고 싶다고 했다. 군청 복도에서 만난 부군수님은 이틀 후에 우리에게 전화를 했다. 학교를 10년간 무상으로 임대해 주겠으니 화천으로 오라는 것이다. 기나긴 고민과 기다림 끝에 찾아온 행운이었다.

그 2년 사이, 우리는 더 이상 도시의 삶에서 얻을 것이 없다고 결론 내리고 있었다. 좀 더 새로운 방식의 연극작업과 이 방식을 뒷받침 해줄 수 있는 삶의 방식이 필요하다는 것에 합의하게 된 것이다. 나는 연극을 한다는 것이 농사짓는 것과 똑같다고 생각한다. 농사를 짓기 위해 땅을 일구고 거름을 주고 씨를 뿌려 작물을 가꾸듯이, 우리는 배우라는 몸을 벼리고 키워 어떤 창작의 영감을 자라나게 한다. 농사를 통해 얻은 곡식과 채소는 우리의 몸을 살찌우고 살아가게 하듯이, 창작의 과정을 통해 만들어진 연극은 우리의 정신을 살찌우고 삶을 풍요롭게 해준다. 뿌린 만큼 거두게 되는 이 과정은

순수한 노동으로 이루어지고 정직하고 소박하다는 점에서 참 닮았다. 그러니 우리가 이곳 신읍리 작은 마을에 산다는 것이 얼마나 다행인가 항상 감사한다. 그래서 이곳을 '시골마을 예술텃밭'이라고 이름 짓게 되었다.

친절하고 따뜻한 연극의 가능성

화천에서 정착을 시작한 지 3년 동안 많은 변화들이 있었다. 그리고 참 많은 일들을 했다. 여름에는 한 달간의 연극축제를 열고, 정월 대보름에는 달집을 태우며 마을 사람들과 대보름 소원을 빌고 윷놀이도 한다. 어버이날에는 마을 어르신들을 모시고 마을잔치도 하고, 어느 겨울엔 마을 어르신들 영정사진, 결혼사진 찍어 드리는 행사를 벌이기도 했다. 읍내에 사는 주부들을 위한 연극 교실을 운영하기도 하고, 중고등학교 아이들이 주최가 된 청소년 극단이 만들어지기도 했다.

이곳으로 오기 전 우리의 주된 일이, 훈련하고, 작품을 만들고, 공연하러 다니는 일이 전부였던 것에 비하면 이런 일들은 전혀 상상도 못했던 것들이다. 마을잔치 때 음식을 나르다가 문득 도대체 '지금 우리가 뭐하고 있는 거지' 하는 회의가 들기도 한다. 물론 작품도 만들고 공연도 예전처럼 한다. 하지만 그게 전부가 아니라는 것을 안다.

2010년 처음 화천에서 맞았던 겨울을 선명하게 기억한다. 영하 20도를 넘나드는 혹독한 추위는 물론이고, 그 겨울에 맞서 살아남을 수 있는 뜨거운 만남이 있었다. 우리는 호주 스너프 퍼펫Snuff Puppets의 두 예술가를 초청해서 화천의 주민들이 참여하는 커뮤니티 연극 워크숍, '사람과 인형 프로젝트'를 진행했다. 2주 동안 함께 이야기를 짓고, 인형을 만들면서 주민들과 예술가들이 함께 공연을 만들었다. 2주간의 워크숍 마지막 날, 화천 읍내 중앙로에서 산천어축제 점등식을 기념해 공연을 했다. 커다란 인형들이 화천의 댐과 그에 얽힌 사연들을 이야기했고, 나는 먼발치에서 이 공연을 지켜보던 쌍둥이네 생선가게 아주머니 옆에 서 있었다. 그 아주머니는 눈물을 훔치며 내게 말했다.

"제 딸이 저기 있어요. 제 딸이 저 인형이 되어 공연을 하고 있어요. 자꾸 눈물이 나요."

나는 그때 내가 하고 있는 연극이 무엇인지, 또 어디로 가야 하는지 조금 알게 되었다. 연극이 사람들의 삶과 만날 수 있는 방법은 도시에서 생각했던 것보다 훨씬 더 다양하고 세밀해졌다.

지난겨울에는 화천의 문화예술회관에서 '화천인 예술제'를 열었다. 이것은 청소년들, 주부들, 군인들이 예술가가 되어 무대를 만드는 축제였다. 우리는 그들이 무대에서 마음껏 자신을 표현할 수 있도록 뒤에서 도와주고 무대 뒷일을 맡아 했다. 아직은 작은 시작이지만, 이런 축제를 통해서 연극이 이 시대에 할 수 있는 하나의 가능성을 본다. 상품이 되어 도시의 극장에서 티켓을 팔며 손님을 기다리는 그런 연극이 아닌, 고상한 예술적 가치만을 추구하며 사람들의 관심으로부터 멀어지는 사기 치는 연극이 아닌, 좀 더 친절하고 따뜻한 연극의 가능성 말이다.

예술이 곧 일상이 되는 삶

예술텃밭에 아침에 출근하면 다 함께 울력이라는 것을 한다. 공간을 정리하고 청소하고 밥도 하면서 함께하는 노동의 시간이다. 내가 맡은 구역은 바깥의 생태 화장실이다. 톱밥을 이용해 인분을 발효시키는 방식이다. 나는 일주일에 두 번, 퇴비장에 변기를 버리고, 씻고, 톱밥을 채워 넣고 청소를 한다. 겨울에는 장작을 패는 것도 큰일이다. 연습실과 사무실에 장작 난로에 불을 붙이는 당번도 따로 있다.

가끔씩은 며칠씩 날을 잡아 대대적인 바깥일을 하기도 한다. 텃밭을 일구거나, 나무를 심거나, 창고를 정리하거나, 잡초를 베거나, 필요한 가구들을 만들어야 할 때도 있다. 도시에서 있을 때 낭만적으로 생각했던 일들을 막상 일상의 일들로 해 나가다 보니 힘에 부칠 때가 많다. 이런 일에 익숙하지 않은 단원들은 처음에 너무 힘들어 했다. 우리만의 창작 공간이 생기면 훈련하고 작품 창작하는 일만 즐기며 할 수 있을 줄 알았는데, 연극과 상관없는데 해야 하는 일들이 너무 많았던 것이다. 안 해도 되는 일인데 하고 있다고 생각하면 그건 육체적인 것뿐 아니라 정신적으로 스트레스가 된다. 한 여배우는 울면서 힘들다고 하소연 한 적도 있었다.

3년이 지난 지금도 여전히 이런 일들이 우리에게 버겁다. 하지만 조금 달라진 것이 있다면 이런 일을 생각하는 마음이다. 겨울이 정말 끔찍하게 춥지만, 난로에 불을 때면서 그 나무 타는 냄새를 잠시나마 즐길 수 있고, 습하고 더운 여름날 연습이 끝나고 온 몸의 흐르는 땀을 식히며 바라보는 하늘의 별들에게서 위안을 얻을 수 있는 여유가 생겼다. 우리가 버린 음식물과 인분으로 숙성된 퇴비를 먹고 자란 상추와 고추가 밥상에 오르는 것을 지켜보며 감춰져 있던 삶의 순환을 다시 바로 볼 수 있게 되었다. 이런 것이 우리 앞에 현실이 되었다는 것을 이제야 실감한다.

시골 마을 사람들과 함께한다는 것

며칠 전 이장님과 내년도 마을 사업에 대한 논의를 하게 되었다. 예술텃밭에서 하는 예술축제 때 마을주민들이 어떻게 참여하면 좋을지, 또 그 예산을 어떻게 마련할지 등에 대해 이야기했다. 올해는 축제 지원금을 받지 못해서 어려운 상황이라 마을 축제를 위해 농업기술센터에서 지원하는 기금에서 도움을 좀 받기로 했다.

우리가 온 첫 해 따뜻하게 대해주신 마을 분들이 있었지만, 색안경을 끼고 우리를 바라보는 분들도 있었다. 매일 아침 학교 연습실에서 배우들의 연습하는 소리를 듣고는 우리를 사이비 종교단체라며 읍내에 소문을 퍼뜨리고 다닌 분들도 있었다. 우리는 그해 겨울, 마을 분들을 모셔 놓고 술자리를 마련하면서 우리가 뭘 하는 사람들인지 해명해야 했다.

지금은 마을 분들이 간간이 연습하는 모습을 구경하러 오시기도 하고, 힘쓸 일이 필요하면 갑자기 전화해서 도움을 청하신다. 김장철이면 십시일반 김치포기를 모아 우리 극단 몫을 챙겨주시기도 한다. 마을과 이런 관계를 유지하는 것이 중요하긴 하지만 참 쉽지 않다. 지금은 어쩌다 보니 마을 일에 깊이 관여하게 되어 극단의 프로듀서가 마을 사무장까지 맡고 있다. 마을 잔치가 있을 때면 음식차리는 일도 도와줘야 하고, 마을에 급한 일이 생기면 연습하다 말고 나가서 일을 하기도 한다. 이런 일들을 힘들여 해줘야 하는 것이 아니라 자연스럽게 내 일로 받아들이게 될 때, 진짜 이 마을의 일원이 되는 것이 아닐까. 낯선 삶에 적응하기 버거울 때마다 우리는 그렇게 스스로 위안해 본다.

할머니들, 연극을 '보다' 연극을 '하다'

가끔 이런 생각을 한다. 우리가 이곳 시골 마을에서 예술을 한다는 것은 무슨 의미가 있을까. 그들에게 좋은 일이기는 할까? 논과 밭 사이에, 한때 학교였던 공간에서 예술을 한답시고 젊은 사람들이 모여 뚱땅거리는 모습을 사람들은 어떻게 생각할까. 나름대로 우리의 작업에 의미를 부여하며 살아가지만 정작 우리 이웃들에게 우리는 어떤 존재일까.

한여름 텃밭예술축제를 열고 이런 저런 공연들로 이웃 사람들을 초청한다. 하지만 아랫집 쌍둥이 할머니는 일당을 벌기 위해 동촌리 산 넘어 일 나가시고, 학골 아주머니는 밭일 바쁘시다고 개울 너머에서 땀 흘리시고, 다른 어르신들도 이런저런 핑계로 오지 않으실 때가 많다. 이곳에서 연극을 하기로 한 이상, 이웃들과 더 깊이 만나고 싶고, 그들의 마음을 움직이고 싶은데 그게 그렇게 쉽지 않다. 때론 우리 작품이 너무 어렵게 받아들여져서 그렇기도 한 것 같고, 아직 이런 것들을 맘 편하게 즐겁게 관람하기엔 낯설어서 그런 것 같기도 하다.

지난겨울 마을 어르신들을 대상으로 연극 교실을 열었다. 처음에는 고스톱 치러 간다며 빠지고, 너무 추워서 집에 틀어박혀 있느라 빠지고 그랬는데, 한가하고 무료한 겨울마다 자꾸 모여 연극놀이를 하다 보니 어느덧 그 분들도 재미를 알기 시작했다. 결국 마지막 날에는 모두 도깨비 나라에서 흠뻑 취해 시간 가는 줄 모르고 놀 수 있게 되었다. 보는 연극에서 직접 하는 연극으로 동네 주민들을 안내하기까지 꼬박 3년이란 시간이 필요했다. 이제 겨우 시작인 셈이다.

모든 사라지는 것은 의미 없는 것일까

지난 3년을 돌아보며, 지금 우리가 향해 가는 곳은 어디인지 다시 생각해본다. 우리가 등지고 떠나온 것은 무엇이고, 왜 떠날 수밖에 없었는가, 그래서 우리는 어디로 가고 있는 것인가. 도시로 사람들은 떠나가고, 농촌은 점점 더 늙고 오그라들어만 간다. 하지만 정작 사람들은 자기가 먹는 것들이 어디서 생겨나는지 생각하려 하지 않는다. 값싸고 맛있고 구하기 쉬우면 그만이라고 생각한다.

자본의 논리라는 것이 그렇다. 존재 본질의 의미는 고려되지 않는다. 경쟁에서 살아남으면 의미 있는 것이고, 의미 없는 것이기 때문에 사라진다고 믿는다. 우리 먹을거리의 생산과 소비구조는 자본의 논리가 아니라 생명과 자연의 논리로 풀어야 하는 게 아닐까. 도시에서 고립된 삶을 살면서 품어온 이 일차원적 의문은 연극으로 고스란히 전염된다. 왜냐하면 연극을 하는 우리도 그런 아픔을 겪었기 때문이다.

연극이란 시장 논리 속에서는 도저히 풀릴 것 같지 않은 건데 그래서 방치되어 있는 것 같다. 제작비와 극장의 임대료는 계속 올라만 가고, 돈을 내고 연극이나 무용을 보는 사람들은 줄어만 간다. 예술은 단지 여가를 즐기기 위한 놀거리만이 아니라 영혼을 살찌우는 먹을거리다. 그런 가치는 점점 잊혀져 간다. 그래서 예술가들이 배고프다는 건 당연한 일이 되어버렸다.

어떻게든 연극만으로 살아남으려는 몸부림이 우리를 이곳 화천으로 들어오게 했다. 이곳에서 그 대안을 찾을 수 있을 거라고, 예술이 생존의 일차원적인 영역에서 의미를 찾을 수 있을 거라고, 이곳에서 예술이 살아남을 수 있는 논리를 찾을 수 있을 거라고 믿는다. 우리는 도시에서의 소비 방식, 소비 규모를 감당할 수 없기 때문에 도피한 것이기도 하다. 연극이 시장 논리에서 살아남을 수 없다고 생각했기 때문에, 좀 더 적게 벌고 적게 쓸 수 있는 방식을 택한 것이다.

도시 유목민들의 새 희망은 아이들과 같이 커간다

화천에 와서 새로운 가족이 생겼다. 세 아이 모두 화천 출생이다. 첫 아이는 여배우의 아이다. 화천으로 함께 오기 위해 우리는 그의 남편을 프로듀서로 영입했다. 화천에서 처음 맞는 여름에 그들의 딸, '은우'가 태어났다. 그리고 바로 그 달에 우리 딸 '나모'가 자라기 시작했다. 10년을 함께 뛰다를 이끌어 온 연출가 아내는 그 해 초 갑작스런 건강악화로 잠시 쉬고 있었다. 자궁내막증이 심해 수술을 준비하고 있었는데 기적적으로 임신을 하게 된 것이다. 화천의 기운이 만든 그 아이는 다음해 봄에 태어났다. 화천에 들어온 그 해, 연출가 부부가 새로 우리 극단에 합류했다. 추운 겨울을 이겨내고 화천의 기운을 받은 그들도 아이를 갖게 되었고, 우리 딸이 태어난 지 6개월 후에 세상에 나오게 되었다.

극단에 아이들이 생겼다는 것은 참 대단한 변화이다. 화천에 와서, 연극 작업에 있어서 만큼이나 삶에 있어서 엄청난 변화가 생긴 것이다. 이런 변화는 함께 살아남기 위해서는 서로의 삶을 책임지고 함께 감당하지 않으면 안 된다는 것을 의미했다. 아이를 키우는 것이 더 이상 개인의 몫이 아니라는 것, 개인이 부딪치는 문제들 역시 개인의 책임으로 남길 수만은 없다는 것을 깨닫게 된 것이다. 아직까지 공동체로 살아간다는 것에 너무도 낯선 우리는 조금씩 함께 살아간다는 것의 의미를 몸을 부대끼며 체득하고 있는 중이다. 공동육아를 도모하고, 공평한 분배의 길을 찾고, 연극하는 삶의 꿈을 맞춰 나가느라 고군분투하고 있다. 열다섯 명의 도시 유목민들이 농촌에 정착하는 게 어디 쉽겠는가.

5년, 아니 10년쯤 후에는 그 답을 알 수 있지 않을까. 우리의 선택이 현명했는지, 아니면 무모했는지. 소박한 삶 속에서 연극이 어떻게 살아남게 되는지. 그래서 우리 삶이 거대한 문명에 대항하는 것이 아니라, 하나의 대안이 될 수 있는지 말이다.

배요섭

44, 극단 뛰다

연극 연출가

1970년 서울 정릉에서 태어나 서울 변두리 지역에서 어린 시절을 보냈다. 스무살에 집을 떠나 물리학과 연극을 공부했다. 1999년 결혼하고, 2001년에는 지금 아내 이주야, 그리고 연극 동료들과 공연창작집단 뛰다를 창단하여 13년째 함께 연극을 해오고 있다. 진화하는 연극, 저항과 치유의 연극, 유목하는 연극이라는 세가지 생각을 기반으로 지난 십여 년 간 배우의 몸과 소리, 오브제에 대해 탐구하며 다양한 연극 형식에 대한 실험을 해오고 있는 중이다. 2002년 <하륵이야기>, 2005년 <노래하듯이 햄릿>, 2007년 <할머니의 그림자 상자>, 2009년 <앨리스 프로젝트>, 2010년 <내가 그랬다고 너는 말하지 못한다>, 2011년 <쏭노인 퐁당 뎐> 등의 연극을 만들고 연출했다. 2010년에는 강원도 화천으로 '연극 귀농'하여 시골마을 예술텃밭을 일구며 새로운 연극의 가능성을 꿈꾸고 있다. 좋은 삶이 있을 때 좋은 연극이 있을 수 있듯이, 좋은 연극이 좋은 삶을 이끌 수 있다는 것을 믿으며 산다.

글
김승완

서울 밖에서 중심을 잡고 살아간다는 것

서울을 나온 것은 내 안으로 더 들어가기 위해서였다. 귀촌이라고 할 수는 없다. 우선 내가 온 곳은 지방 도시이지 촌은 아니다. 설악 산 자락이지만 그런 만큼 관광 도시이다. 차를 타고 10여 분만 가도 대형마트가 있고 먹을거리 단지가 있다. 그리고 당연히 인터넷이 있 다. 서울에서도 인터넷으로 일을 했다. 인터넷과 핸드폰이 있고 택 배도 하루 만에 오니 생활이 대단히 달라질 게 없다. 명동에서 쇼핑 하고 홍대에서 춤추는 취미가 있는 것도 아니니 아쉬울 게 없다. 서 점에 나가 책 구경을 못하는 건 섭섭하지만 지방도 도서관은 꽤 잘 되어 있다. 지방마다 다르겠지만 적어도 속초에서는 만족이다. 일하 고 쉬는 데 불편할 건 없다.

서울에서는 한 연극 제작사에서 외국 공연에 관련된 일을 맡아 했다. 해외 언론을 통해 해외 공연을 체크하고, 좋은 희곡이 있으면 구해 읽어본 뒤 저작권 계약을 해서 번역을 했다. 좋은 회사였고 좋 은 일이었지만 뭔가가 어긋나기 시작했다. 공연하기 좋은 작품을 찾 아내지 못했다. 미국 희곡이 우리가 공연하기에 불편한 점이 많다 는 것을 깨달았다. 연극은 소설보다 훨씬 더 이질감이 강하다. 우리 실정에 맞게 각색하는 데에도 한계가 있다. 나중에는 외국 작품을 비싼 값 주고 사 오는 데 저항감마저 생겼다. 차라리 내가 작품을 쓰고 연출해야겠다는 생각이 들었다.

작품을 번역할 때마다 나는 혼자 연출이 되어 번역했다. 그래야 맥락에 맞게 번역할 수 있기 때문이다. 내가 더 적극적이었다면 작품을 번역해서 직접 연출을 하겠다고 할 수도 있었을 것이다. 대학 동아리에서 연출해본 경험도 있고 졸업 후에도 대학 행사에서 연출을 맡기도 했었다. 커리어는 부족하지만 한다면 할 수 있는 일이었다. 하지만 하지 않았다. 작품을 쓰지도 못했다. 자기중심이 없었기 때문이다. 언제나 무대 주위를 서성였지만 중심을 가지고 서 있지 못했다. 중심이 없으면 의지도 없고 목소리도 나오지 않는다. 그저 막연히 내겐 서울을 떠나겠다는 의지밖에 없었다. 그래서 자진해서 퇴사했다. 나는 내 안으로 들어가 중심을 잡고 싶었다.

서울 밖으로 나서기 위한 준비

서울 밖에서 일을 하기 위해 출판 번역을 하기로 했고 지금도 하고 있다. 그런데 출판 번역은 '하기로 한다'고 해서 할 수 있는 것도 아니고 '지금 하고 있다'고 해서 계속 할 수 있는 것도 아니다. 나는 우선 교육센터에서 모 에이전시가 주관하는 강좌를 들었다. 강좌가 끝나고 테스트에 합격해 소속 번역가가 되었고, 에이전시가 주선해 처음 세 권을 번역할 수 있었다. 테스트는 쉽지 않았다. 그래도 몇 년 간 희곡 번역 경험이 쌓였던 덕분에 합격할 수 있었던 것 같다.

적어도 번역 작업에는 중심을 잡고 있었는지도 모른다. 그렇게 세 권을 번역한 다음, 처음으로 출판사에서 직접 의뢰가 들어왔다. 세 번째 작업한 출판사의 재의뢰였다. 그 책을 지금 작업하고 있다.

번역 작업은 철저히 인터넷에 의존하기 때문에 굳이 서울에서의 삶을 고집할 필요가 없다. 서울은 생활 속도가 빠르고 집값도 비싸고 산만하기 때문에 도리어 불편하다. 서울에서 작업하는 동료 번역가 중에는 층간소음 때문에 불편해하는 이도 있고 밤에 주변 나이트클럽에서 틀어대는 음악 때문에 경찰에 신고했다가 보복이 들어올까 불안에 떠는 이도 있었다. 서울 밖으로 나오면 좀 더 저렴한 비용으로 집 또는 작업실을 마련해 조용하고 느긋하게 번역에 집중할 수 있다. 다만 인터넷은 꼭 필요하다. 단순히 모르는 단어를 찾는 것에서부터 해외 논문을 검색하는 일까지 인터넷은 번역 작업에 없어서는 안 될 도구이다. 인터넷 없이 번역을 한다는 것은 신석기인이 긁개 없이 가죽의 살을 발라내는 것과 같다. 인터넷으로 번역을 잡아 언어를 긁어내는 방법 열 가지를 소개하자면 이렇다.

지방에서 언어를 긁어내는 방법 열 가지

하나, 인터넷 사전. 두말할 나위 없이 중요한 도구. 그렇지만 영한사전을 맹신하면 안 된다. 만약 사전 그대로 번역한다면 그 번역문은 도저히 읽기 어려운 글이 될 것이다. 사전은 원문을 이해하는 도구이지 번역에 그대로 적용할 수 있는 도구는 아니다.

둘, 인터넷 검색. 모 포털사이트가 검색을 통한 정보 획득 방식을 엄청나게 발전시켰다. 하지만 그건 그 사이트의 힘만이 아니라 인터넷에 정보를 올리는 모든 이의 힘으로 발전한 것이다. 한번은 영국 옥스퍼드 대학교 출신 귀족이 케임브리지 대학교를 조롱하는 농담을 번역해야 했는데 도무지 이해할 수가 없었다. 검색을 하다 누군가가 케임브리지 대학교 교정을 소개하는 글을 사진과 함께 블로그에 올려놓은 것을 발견했다. 그 글을 읽고 케임브리지 대학교 교정에 대한 개념을 갖게 되니 옥스퍼드 귀족의 농담이 바로 이해가 되었다. 케임브리지 대학교 교정이 좁다는 것을 비웃은 농담이었다. 이런 식으로, 정보를 올린 이는 의도하지 않았지만 번역가는 그 정보를 바탕으로 문제를 해결할 수 있다.

셋, 위키피디아. 한글 검색으로 정보를 찾을 수 없을 때에는 해외 사이트로 가야 한다. 그럴 때 가장 유용한 것이 바로 위키피디아(www.wikipedia.org). 이 역시 집단지성이 만들어나가는 무료 나눔 지식이다. 단, 내가 소개하고 있는 2번 인터넷 검색, 3번 위키피디아, 4번 구글은 정보가 정확하지 않을 수도 있다는 점에 유의해야 한다.

넷, 구글. 위키피디아에도 나오지 않는 정보는 구글(www.google.com)에서 다시 찾아본다. 표현의 뉘앙스가 애매하거나 비문, 오타 등이 의심스러울 때도 구글을 이용해 비교해 본다. 예전에 희곡을 번역할 때엔 슬랭사전(www.urbandictionary.com)을 요긴하게 활용했다. 덧붙이자면, 영어를 모국어로 쓰지 않는 이상 원서에 오류가 있어도 그것을 오류라고 단정 짓긴 어려운데, 원서 역시 사람이 만든 책이라 비문이나 오타가 아예 없는 것은 아니다.

다섯, 구글 도서. 역사책을 번역할 때 곤혹스러운 부분 중 하나는 인용문이다. 왜 곤혹스럽냐면 인용문은 앞뒤 맥락 없이 필요한 부분만 떡 하니 등장하기 때문이다. 물론 인용문도 저자의 서술 흐름 속에서 맥락에 맞게 등장하는 건 맞다. 하지만 번역하는 쪽에서는 그 인용문이 원래 어떤 맥락 속에 있었는가 하는 것도 알아야 한다. 그걸 모르면 오역해버리기 쉽다. 그래서 인용문의 원래 맥락을 찾아야 하는데, 그때 구글 도서 검색 사이트(books.google.co.kr)는 매우 유용하다. 문장을 써 넣으면 그 인용문의 원문 페이지가 턱 하니 눈앞에 나타난다.

여섯, 국립국어원. 어휘, 표기, 띄어쓰기 등 우리말을 정확히 쓰기 위해 국립국어원(www.korean.go.kr)을 이용한다. '온라인 국어생활종합상담'은 그 사이트 안에서도 백미. 우리말 단어가 어렴풋이 잘 떠오르지 않아 애가 탈 때에는 '낱말' 사이트(www.natmal.com)와 인터넷 사전에서 유의어를 찾는다. 덧붙여 국립국어원 외래어표기법(http://www.korean.go.kr/09_new/dic/rule/rule_foreign.jsp) 페이지에서 외국 인명과 지명을 검색해 올바른 우리말 표기법을 찾아낼 수도 있다.

일곱, 도서관. 이건 인터넷이 아니라 실제 도서관을 말한다. 단순한 정보가 아니라 전체적인 개념을 알아야 할 때가 있다. 특히 번역 작업을 시작하기 전, 책이 다루고 있는 주제를 큰 틀에서 파악하고자 할 때에는 관련 도서를 읽는 것이 중요하다. 그래서 도서관이 꼭 있어야 한다. (도서관이 없다면 책을 구입하는 데 번역료를 다 써버릴 위험이 있다.) 속초에는 도서관 두 곳이 있고 장서목록도 꽤 괜찮은 편이다. 속초평생교육관은 좋은 신간이 많이 들어오고 속초도서관은 오래된 좋은 책을 찾아볼 수 있다. 나는 2주일에 한 번 도서관별로 3권씩 책을 빌린다. 2주일 간 빌린 책을 참고해가며 작업을 하고, 작업 하다 필요한 책이 또 생기면 적어두었다가 다음 방문 때 빌린다. 2주일에 한 번씩 도서관에 가는 것은 가장 큰 낙이다. 작업을 할 때에는 아무래도 계획된 책을 빌리는 일이 많지만, 그렇다 하더라도 신간을 훑어보거나 좋아하는 서가에 가서 이 책 저 책 들춰보는 일은 무척 즐겁다.

여덟, 한국교육학술정보원. 필요한 관련도서가 도서관에도 없고 서점에서도 절판되었을 때, 한국교육학술정보원(www.riss.kr)에 가면 국내 모든 대학 도서관 자료를 찾을 수 있다. 복사를 신청할 수도 있고 책을 택배로 대출할 수도 있다. 자세히 살펴보면 일부 해외 학술지의 경우 무료 복사 서비스를 받을 수도 있다. 천국이잖아, 하고 생각했다.

아홉, 생각. 인터넷이 신석기인의 긁개만큼이나 필수적이라고 했지만 이 긁개로 긁히지 않는 살도 있다. 그런 것은 직접 생각할 수밖에 다른 도리가 없다. 별로 관련은 없는 몇몇 단편 정보들과 앞뒤 맥락을 바탕으로 문법 지식을 응용해가면서 생각해야 한다. 이때 저자와의 궁합이랄까 공감 능력이 매우 중요하게 작용한다. 보통 번역을 할 때에는 외국어 능력이 가장 중요한 것 아니냐고 하지만 나는 이해 능력 혹은 공감 능력이 그에 못지않게 중요하다고 생각한다. 어쩌면 더 중요할지도 모른다. 이를테면 고대 그리스어를 알아도 플라톤을 이해할 능력, 혹은 플라톤의 사상에 공감할 능력이 없다면 플라톤을 번역할 수 없다는 얘기다. 말은 알아도 '무슨 말인지' 모르기 때문이다. 번역을 하다 앞의 어떤 도구를 써서도 저자의 말을 알아들을 수 없을 때에는 최대한 저자의 마음 속으로 들어가 생각해야 한다. 저자에게 공감이 잘된다면 막힌 부분에서 그 마음 속으로 들어가는 작업도 수월할 것이다. 무라카미 하루키는 번역 작업에 대해 이런 말을 한 적이 있다.

"번역을 하다보면, 때때로 자신이 투명인간이 되어 문장이라는 회로를 통해 타인(즉 글쓴이)의 마음속이나 머릿속에 들어가는 것 같은 느낌이 들기도 합니다……. 물론 누구에게나, 어떤 텍스트에 대해서나 그렇게 할 수 있는 것은 아닙니다. 자신과 특별한 관련이 있을 때만 가능합니다. 좋은 번역을 하기 위해서는 그런 깊은 부분에서의 감정이입이나 공감이 필요하다고 생각합니다."

<하루키, 하야오를 만나러 가다>, 고은진 옮김, 문학사상사

열, 생각을 버림. 그래도 알 수 없을 때에는 생각을 버린다. 도저히 알 수 없어 단념하고 밥을 먹으러 가는데 부엌 의자에 앉는 순간 문장의 의미를 깨달은 적도 있다. 책 한 권을 계속 진행해 나가면 모든 것은 결국 풀리게 되어 있다. 저자의 생각도 한 권의 책 속에서 반복되고 순환하기 때문이다.

번역에서 가장 중요한 건 자기중심 찾기

야구에서 위기상황에 결정적인 안타를 때릴 수 있는 능력을 '클러치 능력'이라고 한다. 위 아홉 번째와 열 번째의 능력이 바로 번역에서 클러치 능력이라고 할 수 있다. 여덟 번째까지는 방법을 알고 노력을 들이면 누구나 할 수 있다. 하지만 아홉 번째와 열 번째는 자신을 꾸준히 계발시키지 않으면, 자기중심이 없으면 할 수 없다. 아홉 번째와 열 번째에서 번역가 한 사람의 역할이 나오는 것이다. 마음에서 저자와 하나가 되고, 그리하여 번역가가 저자가 되어 직접 독자에게 말을 건다.

그러기 위해서는 자기중심이 있어야 한다. 자기중심이 없으면 저자의 마음 속으로 들어갈 수도 없고, 독자에게 직접 말할 수 있는 목소리를 낼 수도 없다. 흔히들 번역가는 자기를 없애고 저자를 완전히 받아들여야 된다는 얘기를 하는데 나는 그렇게 생각하지 않는다. '자기'가 없어지면 번역가도 없어지기 때문에 언어가 힘을 잃는다. 원문의 정수, 전해져야 하는 것이 전해지지 않는다. 번역가가 '멋대로' 번역해도 된다는 얘기가 아니다. 오히려 번역가의 자기중심이 있어야 최대한 '정확히' 번역할 수 있다는 뜻이다. 투명인간이 된다 해도 몸이 투명할 뿐, '자기'는 있는 것이다.

연기도 마찬가지다. 내가 연기에 대해 이러쿵저러쿵 얘기할 수는 없지만 아주 조금의 아마추어 연기 경험으로 미루어 생각해 봤을 때, 자기중심이 없으면 캐릭터를 연기할 수 없다. 어떤 캐릭터도

'캐릭터' 자체만으로는 존재할 수 없다. 그것은 허공에 떠 있을 뿐이다. 누군가 그 캐릭터 속으로 들어가야 하지만, 자기중심을 잃고 '내가 저 캐릭터가 되겠다'고 한다면 그 연기자의 연기 역시 허공에 뜨게 된다. 그 캐릭터를 '잡아와야' 한다. 자기 무게중심에 맞춰 땅으로 끌고 내려와 자기 목소리를 써서 '전달'해야 한다. 그런 면에서 연기와 번역은 크게 다르지 않다. 번역가에게 자기중심이 있다는 것은 '다리bridge'가 튼튼하게 서 있는 것과 같다. 중심이 있는 번역을 읽는 독자는 강을 수월하게 건널 수 있다.

서울 밖으로 나와 번역에 몰두하면서 땅으로 내려오고 있다는 느낌이 든다. 체계를 세우고 원칙에 따라 일을 하니 무게중심이 생기는 건지도 모르겠다. 하지만 이것이 다가 아니다. 앞에서 출판 번역은 지금 하고 있다고 해서 계속 할 수 있는 게 아니라고 말한 바 있다. 거기에서 두려움이 기어 나온다. 불안이 작업 시간을 갉아먹는다. 당장 다음 번역 의뢰가 들어오지 않으면 어떻게 할까? 직접 책을 기획해 출판사에 보내볼 수도 있다. 하지만 그것도 상대의 결정을 기다려야 한다. 시간이 얼마나 걸릴지도 알 수 없다. 좋은 책을 기획해 출판사에 보냈는데 감감무소식이면 불안만 증폭될 것이다. 그래서 직접 책을 출판하겠다고 마음먹었다. '1인 출판'이다.

또 하나의 실험, 1인 출판

출판사를 차린 건 지난해 봄이었다. 지금 작업하는 책의 의뢰가

들어오기 전이다. 당장 출판을 할 수 있는 자금과 협력자와 경험이 없기에 전자책을 출판하기로 했다. 번역을 해서 교정을 본 다음 이 펍E-Pub 제작 프로그램으로 파일을 만들면 된다. 단, 저작권 체결을 할 만한 상황이 아니기에 저작권이 소멸된 책을 찾아야 했다. 저작권료는 둘째 치고 책을 한 권도 낸 적이 없는 신생 출판사가 종이책도 아닌 전자책을 낸다는데 계약해 줄 해외 에이전시는 없을 것이다. 일단 어느 정도 책을 만들어놓은 다음 알아볼 일이었다. 그래서 고전 작가의 작품을 번역해 만들기로 했다.

우선 출판등록과 사업자등록을 했다. 사업자등록을 할 때 주소는 그냥 본인이 거주하는 집으로 하면 되지만 나는 사정상 주소지를 마련하는 일이 곤란했다. 이리저리 알아보다 강릉 1인 창조기업 비즈니스센터에 대한 정보를 듣고 그곳을 주소지로 했다. 1인 창조기업 비즈니스센터에 가입하는 데 비용은 들지 않았다. 실험적으로 마크 트웨인Mark Twain과 어니스트 헤밍웨이Ernest Hemingway의 단편소설을 번역해 전자책으로 만들어보았다. 표지 그림도 직접 그렸다. 번역에서 교정, 디자인까지 1인 시스템이었다.

전자책을 판매하려면 유통사와 계약을 해야 한다. 주요 인터넷 서점의 유통을 담당하는 유통사와 계약을 했다. 계약 후 유통사 웹사이트에 가서 제작한 두 권의 파일을 업로드 했다. 단편소설인 데다 실험 삼아 하는 것이므로 가격은 각 100원씩 책정했다. 그러면 한 권이 팔릴 때마다 70원을 벌게 된다. 파일을 올리면 유통사 검수를 거친 후 서점에 등록된다. 일주일이 채 안 되어 등록되었다.

이때 ISBN International Standard Book Number 국제표준도서번호 은 받지 않았다. 하지만 앞으로는 받으려고 한다. 같은 책을 종이책으로 낼 수도 있기 때문이다. ISBN은 국립중앙도서관 한국문헌번호센터 홈페이지(http://seoji.nl.go.kr)에서 받을 수 있다.

어차피 돈을 벌 생각은 없었다. 실험이었다. 내 계획은 저작권이 소멸된 영미권 작품을 번역해 저렴한 가격에 전자책으로 내놓는 것이었다. 전자책 시장이 활성화되기 전에 선점하고 싶었다. 1인 출판사에게는 산업이 발전하기 직전이 기회다. 하지만 일단 계획을 미뤄둬야 했다. 생계를 위해 밖에 나가 일을 해야 했고, 때마침 뮤지컬 번역과 출판 번역 의뢰가 들어왔다. 한꺼번에 세 가지 일이 겹친 것이다. 다급했던 나는 어느 것 하나 거절하지 않았다. 노하우가 어느 정도 쌓인 뮤지컬 번역은 일찍 끝낼 수 있었지만 책 번역은 쉽지 않았다. 개념을 잡기 위해 공부할 게 많았다. 공부는 즐겁지만 두 가지 일을 병행하려니 쉽지 않았고 나중에는 결국 번역에만 몰두했다. 번역을 포기할 수는 없었다.

그러나 번역 작업을 하면서도 작업 후가 걱정이 되는 터라 전자책 생각을 자주 했다. 번역해 출간할 책을 찾아보기도 하고 전자책 정보를 여기저기서 주워듣기도 했다. 먼저 전자책을 출간한 다음 반응이 좋으면 소량 POD Publish On Demand 주문형 출판 을 하고, 또 반응이 좋으면 대량 유통을 하겠다는 큰 그림도 그려보았다. 그러면서도 불안은 증폭되어 자꾸 해외 서점에 가 외국 서적을 뒤지는 데 집착하게 되었다. 우리나라에서 전자책 산업은 어찌 보면 '다행히' 아직

폭발적으로 발전하지 못하고 있었다. 하지만 과연 앞으로 크게 발전할지도 미지수다. 설혹 크게 발전한다고 해도 1인 출판사로서 내가 설 자리가 있을지 확신할 수 없었다. 전자책의 한계가 보이고 나의 한계가 보였다. 두려움과 불안만 커져갔다.

그 와중에 전자책 업계에서는 이른바 '덤핑' 논란이 일었다. 한 출판사가 고전문학 작품을 변칙적인 방법을 써서 저렴한 가격에 내놓았고, 대형 서점이 전자책 대여서비스를 시작했으며, 유명 출판사들도 고전문학을 앱 형태로 제작해 굉장히 싼 가격에 출시했다. 이런저런 상황을 지켜보며 나는 내 구상이 매우 허무맹랑하며 설사 일을 계획대로 진행한다 하더라도 그것이 잘될 리 없다는 것을 깨달았다. 물론 무기력하게 남의 입만 쳐다보며 기다릴 수는 없으니 일이 없을 때에도 뭔가 해나가겠다는 의도는 좋았다. 하지만 두려움에 쫓겨 길을 잘못 든 건 아닐까? 내 계획 속에는 저작권료 0원, 번역과 제작 자체 조달, 낮은 가격정책, 시장 선점 등의 '계산'만 가득했지, 그곳에 '책'이 들어올 자리가 있었던가? 무슨 책을 어떻게 만들어 어떤 독자에게 다가가고 싶다는 생각은 했던가? 내가 만들고자 하는 책에는 무게중심이 있었을까?

두려움과 불안에서 벗어나 밖으로 눈을 돌리자

두려움과 불안은 풍선과 같아서 그것에 사로잡히면 저도 모르는 사이에 둥둥 뜨게 된다. 가고자 했던 길로 가지 못하고 풍선에 이끌려

다른 곳으로 가게 된다. 중심을 잃는 것이다. 출간 계획은 어느 정도 갖고 있지만 나는 더 이상 그것을 신뢰하지 않는다. 그건 두려움 때문에 '짜낸' 것이기 때문이다. 그런 책은 만들지 않는 편이 낫다. 두려워하는 사람이 만든 책은 페이지마다 두려움만 묻어나지 않을까? 반면에 내가 지금 번역하고 있는 책은 독자 앞에 떳떳하게 펼칠 자신이 있다. 내가 공부하고 깨달아가며 번역한 책이니 이 책을 읽는 이 역시 새로운 인식을 얻지 않겠는가.

"인간에게 가장 본질적이고 가장 중요한 것은 '존재의 소중함'을 깨닫고 인정하는 것이다……. 존재에 대한 관심과 성찰은 사람의 내면을 깊게 만들어준다. 이런 사람은 중심이 단단하여 웬만한 바람이 불어와도 쓰러지지 않는다." ('함께 읽기'가 사람다운 사람을 만든다', 백화현, <학교도서관저널> 2012년 3월호, 한국출판마케팅연구소) 이 글을 읽고 나는 힌트를 얻었다. '함께 읽기'가 중심을 단단하게 해준다면, '함께 만들기' 역시 중심을 단단하게 해주지 않을까? 역으로, 중심이 단단하다면 1인 시스템이라는 함정에서 벗어나 '함께 만드는' 길로 나아갈 수 있지 않을까? 나는 두려움과 불안 때문에 철저한 1인 시스템만을 생각했고 그러다 보니 더더욱 두려움과 불안에 빠져들었다. 혼자만 하려 한다면 길은 하나밖에 안 보이지만, 다른 이와 협력하려 한다면 여러 길이 보이지 않을까? 한 가지 길이 안 되더라도 다른 길을 또 볼 수 있을 것이다.

미국 공연계는 '오프오프 브로드웨이', '오프 브로드웨이', '브로드웨이' 등의 시스템으로 공연을 소규모에서 대규모로 발전시켜 나간다. 그래서 각 지역에서 소규모로 공연을 제작해 더 큰 시장으로 내보내는 '인큐베이팅'을 전문으로 하는 제작사도 많다. 이를 우리 출판계에 그대로 적용하는 것은 무리지만 적어도 힌트는 얻을 수 있다. 번역 기획을 제안하는 일만 해도, 혼자 기획서를 보내놓고 끙끙 않는 방법 외에 다른 방법이 있을 것이다. 외서 기획 인력이 부족한 소규모 출판사와 손을 잡을 수도 있고, 1인 출판사들끼리 협동조합 같은 것을 만들어 협력할 수도 있을 것이다. 인터넷으로 모든 것이 연결되는 시대에 '바깥'으로 고개를 돌리면 많은 것이 보일 것이다.

전자책은 아직 수익을 내지 못하고 있다. 그렇다면 산업이 커지기만을 기다리고 있어야 하는 걸까? 관점을 바꿔, 전자책을 종이책을 대체하는 수익 창출의 도구가 아닌, 종이책을 보완하는 비용 절감의 도구로 보면 어떨까? 출판 시스템을 안정시키는 든든한 보조도구로 쓸 수도 있지 않을까? 또는 기존 출판 시스템을 개선할 수 있는 혁신적인 도구가 될 수도 있지 않을까? 요즘 출판계에 이른바 '빈익빈 부익부' 현상이 심화되었다고 하는데, 전자책 시스템을 잘 활용하면 신진 작가를 배출하고 출판 다양화를 꾀할 수 있는 새로운 길을 열어갈 수 있지 않을까? 요컨대 전자책으로 수익을 내겠다는 고정관념에서 벗어나 전자책이라는 수단을 이용해 출판 시스템을 보완하겠다는 생각을 해보는 것이다. 혼자 하겠다는 함정에서 빠져나와 함께하겠다고 발상을 전환하면 새로운 길, 다양한 길이 보일 것이다. '계산'하려 하지 않고 '책'을 만들고자 한다면,

내가 할 수 있는 일이 있을 것이다.

　중심이 없으면 허공에 떠 있기에 자기만 보이지만 중심을 잡으면 주위에 세계가 보인다. 나는 내 안으로 더 들어가 중심을 잡기 위해 서울 밖으로 왔지만 중심을 잡아갈수록 내가 아니라 세상이 보이기 시작한다. 인터넷으로 연결된 세상 곳곳에는 '손'이 퍼져있다. 많은 것을 배울 수 있는 손이며 내가 중심을 세우고 나면 언제든 맞잡고 협력할 수 있는 손이다. 나는 책에 대해 이런 생각을 하지만 누군가는 다른 것에 대해 비슷한 생각을 할지도 모르겠다. 나는 서울 바깥에 있는 또 하나의 손이 되고 싶다.

촉촉한 공간, 동해에서 '나'

서울은 넓다. 15년 넘는 시간 동안 서울의 여러 거리를 지나가 보았다. 그 여러 거리의 모습은 기억 속에 파편화되어 구석구석에 박혀있다. 시간도 뒤죽박죽이고, 사람도 헷갈리고, 공간마저 구부정하다. 기억의 공통점은 대부분 메말라 있다는 것. 촉촉하게 젖어있는 기억을 찾기가 쉽지 않다. 그래서 어느 순간 기억 하나가 불쑥불쑥 솟아날 때면 나는 고개를 젓는다. 무엇 때문에 그 거리를 지나갔고 무엇 때문에 그리 지쳤던 걸까? 언제나 지친 몸으로 돌아왔다.

　속초에서 어느 분은 서울만 가면 지친다고 했다. 서울의 시간이 너무 빨라서 그 시간에 맞추다보면 진이 빠진다고 했다. 나는 그 공간에도 함정이 있다는 생각이 든다. 넓은 대신 그곳에서 벗어날 수 없다는 함정. 같은 서울 안이라도 지하철을 타고 1시간을 가고, 지하철을 내려 30분을 더 가야 하는 일상. 차를 타고 가면 오히려 시간이 더 걸리는 빽빽함. 그렇게 가도 달라지지 않는 풍경, 여전히 같은 서울 안이라는 함정.

이곳에서는 30분만 남으로 가면 남애해변에, 북으로 가면 백도해변에 다다를 수 있다. 남애해변은 양양에서 가장 좋아하는 해변이고 백도해변은 고성에서 가장 좋아하는 해변이다. 두 곳 다 조용하고 아름답다. 동해대로를 타고 가다보면 나오니 이런 곳에 사무실을 마련해 출근할 수 있다면 더없이 좋겠다. 서울에서와 같은 시간 아니 더 짧은 시간을 들여, 갈 수 있는 공간이 전혀 다르다. 지치지 않는 길, 아내와 앉아 조용히 햄버거를 먹었던 사소한 기억조차 촉촉하게 남는 공간.

서울이라는 공간 안에 있는 모든 사물에, 거리 구석구석에 피로가 쌓여 있는지도 모르겠다. 그래서 그곳을 지나가면 그 피로감을 느끼는지도. 이곳에서 두껍게 쌓인 눈을 밟고 가는 것처럼 서울에서는 거리마다 쌓여 있는 피로를 밟고 다니는지도 모른다. 귀가해도 빽빽하게 치솟아있는 동네에서는 떼어놓기 어려운. 내게도 그렇게 붙어있던 피로를 나는 동해대로를 오가면서 조금씩 떼어놓았다. 남애해변, 설악해변, 속초해변, 아야진, 백도해변 등 양양에서 고성까지 곳곳의 바닷가에 가서 철썩이는 파도에 피로를 쓸려 보냈다.

"그랬군, 그런 것이었군."

납득이 된다, 파도 소리를 가만히 듣고 있는 게 그리 좋았던 이유가. 어쩌면 하얀 모래에 파란 바다, 파란 하늘이 다 비슷해 보일 수도 있겠지만 실제로 다녀보면 저마다 풍경이 다르고, 그런 풍경들은 기억 속에 하나로 연결되어 길을 내고 있다. 시간도, 사람도, 공간도, 마치 파스텔로 그린 수평선처럼 경계가 분명치 않게 모든 것이 연결된다. 부처님이 묘사했던 인연의 그물망 같다. 더 이상 고개를 젓지 않아도 된다. 촉촉하다. 이 파도가 태평양과 연결된다고 생각하면 가슴이 설렌다. 공간이 확장된다. 넓지만 갇힌 공간에서 나와, 오히려 무한하게 열린 공간에 섰다. 나를 내세우지 않아도 된다. 나로부터 시작하는 공간이기 때문이다. 찾은 것이 있다면 이것이다.

김승완

39, 번역가

'전자출판 폴짝' 1인 출판인

대학에서 영문학을 전공하고 교육용 사이트의 콘텐츠 기획, 연극 제작사에서 희곡 번역, 외국 연극 리서치 일을 했다. 지금은 속초에 정착해 출판 번역과 전자출판을 하는 1인 출판사 운영을 함께 하고 있다. 서울을 떠난 지 이제 2년여 밖에 되지 않은, 봄까지 내리는 폭설에 당황하기도 하고 신기해하기도 하는 초보 속초 주민이다. 설악산 아래 마을에서 아내와 함께 새로이 발견하는 삶의 즐거움에 하루하루 감사하고 있다.

전라도로 돌아온
김은홍, 이명훈의 이야기

지리산, 그리고 섬진강. 남도의 맛과 향취, 고아한 선비의 품격. 전라도는 오지, 도시의 가장 반대편에 서 있는 은밀함을 연상시키는 독특한 이미지를 안고 있다. 도시의 삶에 지친 이들이 귀농과 귀촌의 장으로 가장 많이, 가장 먼저 떠올리곤 했던 호남의 시골 마을들. 고향을 떠난 이들이 그리움으로 다시 찾는 곳. 그래서일까, 전라도에서 나고 자라 서울 생활을 거친 후 다시 자신의 고향을 찾은 두 사람이 있다.

큰 회사에 들어가서 일하고 싶은 마음에 서울행을 택했다가 서울에서의 피로한 삶이 싫어 결혼과 함께 고향으로 돌아온 김은홍 씨. 서울에서 큐레이터이자 문화기획자로 일하다 어느 날 문득 고향 순천으로 돌아와 동네 문화공간 '돈키호테'를 운영하는 문화기획자 이명훈 씨. 꿈을 제대로 펼치기 위해서는 서울로 가야 한다고 많은 이들이 이야기하지만 이들의 삶을 들여다보면 그게 꼭 정답은 아닐 거라는 생각에 도달한다.

전라북도 지역 정보

6시 8군의 행정구역이 있다. 노령산맥을 경계로 동쪽은 높은 산악지대이고 서쪽은 낮은 평야지대로 구분되며 변산반도, 군산반도, 진봉반도 등의 해안선과 103개에 달하는 섬이 있다. 익산, 김제, 정읍시는 호남평야의 중심지로 쌀의 주산지이다. 평야지대는 기온의 연교차가 적고 강우량이 적으며, 내륙지방은 연교차가 크고 강우량이 많다. 쌀 외에도 복분자, 인삼, 고추장, 치즈 등 다양한 농산물과 발효식품을 생산하고 있다. 전주를 중심으로 서예, 한지, 부채 등의 전통민속 공예품과 판소리가 발달했고 4월에 열리는 남원의 춘향제, 5월 익산 서동축제처럼 역사와 문화를 살린 축제가 많이 열린다.

김은홍 씨가 정착한 전주시

2구 33동의 행정구역이 있다. 노령산맥의 지류인 기린봉, 고덕산, 남고산, 모악산 그리고 완산칠봉 등이 시가지를 둘러싸며 분지를 이루고 있고 도심에는 전주천, 외곽에는 삼천이 흐르고 있다. 여름과 겨울의 기온차가 심한 대구 지방이나 동해안의 강릉지역, 충청남도의 서산과 비슷한 기온이며 강수량이 적은 편이다. 유네스코가 세계문화유산으로 지정한 판소리의 본고장으로 경기전, 한옥마을, 한지, 비빔밥, 이강주, 모주, 콩나물국밥 등 맛과 전통문화를 담고 있다. 4월 전주국제영화제, 5월 전주한지문화축제, 6월 전주대사습놀이전국대회, 10월 전주세계소리축제 등의 축제를 통해 전통과 문화예술을 이어가고 있다.

서울에서 전주까지 접근성

센트럴시티터미널에서
전주행 고속버스 이용 시
소요시간 2시간 45분.
동서울터미널에서
전주행 고속버스 이용 시
소요시간 3시간.

서울역에서 전주역 KTX 이용 시
소요시간 2시간 35분.
용산역에서 전주역 KTX 이용 시
소요시간 2시간 15분.
새마을호 이용 시
소요시간 3시간 10분.
무궁화호 이용 시
소요시간 3시간 20분.

남부터미널에서
전주행 시외버스 이용 시
소요시간 2시간 40분.

자가용 이용 시
서울에서 2시간 30분 거리.

사진_정환정

글	# 준비된 꿈, 고향으로 돌아와
김은홍	날개를 펴다

학교 다닐 때 나는 놀기 좋아하고 친구 좋아하는 소년이었다. 공부는 뒷전이고 무엇을 하겠다는 생각도 없었다. 그저 그림 쪽에 관심이 많아 디자인을 공부해보고 싶었지만 집에서 반대했다. 부모님은 경영학 전공을 원하셨다. 그러나 관심 분야가 아닌 걸 공부하는 게 자신도 없었고 내 고집 또한 워낙 셌던 터라 우선 전문대에 입학해 디자인 공부를 해보고 이후에 정 아니다 싶으면 경영 쪽으로 전공을 바꾸기로 했다. 그런데 1학년 첫 학기를 마치고 군대를 다녀왔을 무렵 아버지의 사업이 휘청했다. 그때부터 학업을 중단하고 되는대로 일을 시작해야 했다. 노점상부터 일당 노동까지 할 수 있는 일은 닥치는 대로 하며 등록금을 모으고 집에 생활비도 조금 보태며 전문대를 7년 만에 졸업했다.

서울, 큰물에서 놀아라?

어느 날, 어머니께서 뇌졸중으로 장기 입원을 하시게 되었다. 자연스레 부엌일은 하나씩 내 몫이 되었다. 내가 요리에 재능이 있다는 걸 그때 깨달았다. 어머니가 퇴원하시고 몸을 추스르신 후부터 본격적으로 요리 공부를 시작했다. 요리에는 문외한이었기에 자격 증이 먼저 생각났다. 바로 요리학원에 등록해 양식, 일식 조리기능 사를 취득했고 우선 한정식 식당에 취직해서 설거지부터 시작했다.

어느 정도 일이 익숙해지니 큰 회사에 들어가고 싶은 마음이 생 겼다. 흔히들 사람은 큰물에서 놀아야 한다는 말을 하지 않는가. 그 래서 서울에 일자리를 알아보기 시작했고 한 중식 프랜차이즈 회 사에 들어가게 되었다. 그곳에서 매장 관리, 손님 응대하는 법을 배 웠고 물론 요리도 담당했다.

그러나 서울에 도착해 하루 이틀 지날수록 '서울병'이 돋았다. 공 기가 안 좋단 말을 실감했다. 답답하고 목이 따끔거리는 느낌. 공기 좋은 곳에 살다 올라가니 더 심하게 느껴졌다. 아침 출근길에 마주 치는 사람들의 모습도 낯설었다. 지하철에 오르면 항상 바쁘게 뛰 어다니는 사람들, 한쪽에선 졸고 있고 한쪽에선 책을 보고 있고, 아 침이지만 초점 없는 눈빛. 이해하기 힘든 모습들이 눈에 들어왔다. 출근하는 사람들 얼굴이 즐거워 보이지 않았고, 아침부터 지쳐있는 모습이었다. 그런데 이상하게도 한 달 정도 지나니 나도 그와 같은 모습으로 변해가고 있었다. 늦은 퇴근과 이른 출근, 항상 일에 몰려 지하철에 앉아 갈 때면 꾸벅꾸벅 졸고 있고 어르신들에게 자리 양 보는 생각도 못하는 상황이었다.

서울 생활의 또 다른 어려움은 생각보다 많이 드는 생활비였다. 남자 혼자 서울에서 생활하면서 장거리 연애까지 하다 보니 지출이 늘어만 갔다. 장거리 연애도 힘들었고 결혼도 하고 싶어 여자 친구와

상의 끝에 다시 전주로 내려와 직장을 구하기로 결정! 그러나 막상 직장을 구하려다보니 입맛에 딱 맞는 일을 구하기가 쉽지 않았다. 전주에서는 제대로 된 직장을 구하기가 힘들어 친구들도 하나둘 다시 서울로 올라갔다. 어느 날 친구들과 취업에 관한 이야기를 안주 삼아 술잔을 기울이던 중 문득 주변을 둘러보니 지금 내가 좋은 회사, 내 입맛에 맞는 회사를 고집할 입장이 아니라는 생각이 들었다.

'일단 눈높이를 낮추고 무슨 일이든 할 수 있는 일을 해보자.'

일을 하면서 자기계발을 하자고 마음먹었다. 그리고는 할 줄도 모르는 지게차 운전을 잘할 수 있다고 면접에서 큰 소리를 치고는 식품회사에 입사하게 되었다. 그게 2004년이니 벌써 9년 전 일이다.

내가 만든 요리를 맛보이고 싶다

회사에서 물류 관리를 하며 식품에 대해 공부를 시작했다. 어느 정도 식품에 대한 개념이 생길 때쯤 회사에서 새로운 사업을 진행하게 되었고 그동안의 노력과 능력을 인정 받았는지 제품 개발과 품질관리 업무를 맡게 되었다. 이것저것 업무는 늘어났지만 정말 재미있게 일을 했다. 그중에 제일 재미있고 관심 있었던 것은 음식 개발 업무였지만 그 외 다른 업무들을 통해서도 배우는 게 많았다. 유통과정이나 품질관리에 대한 지식 노하우들을 익힐 수 있었으니 말이다.

음식 개발 업무는 각 지역 맛집을 찾아 음식을 먹어보고 그에 대해 평가하며 보완점과 적용할 점을 찾아 맛을 극대화하고 회사설비에 맞게 수정과 리뉴얼 작업을 하는 거였다. 한번은 회사 구내식당에서 밥을 먹는데 입맛도 없고 해서 고추장에 밥을 비벼먹다가 아이디어가 떠올랐다. 군대에 갔다 온 사람들은 다 알겠지만 정말 입맛 없을 때 그거 하나면 충분했던 고추장볶음! 그 즉시 시중에 판매되는 고추장볶음 종류를 모두 구해 봤더니 닭고기를 넣어 만든 제품은 없었다. 소고기나 돼지고기보다 영양이나 맛, 가격에도 뒤지지 않는데 말이다. 그래서 개발한 제품이 닭고기 고추장볶음이었다.

또 개인적으로 골뱅이 무침을 좋아하는데 시중에 판매되는 골뱅이의 경우 가격이 만만치 않고 양도 적었다. 그래서 개발하게 된 제품이 닭 근위, 흔히들 닭똥집이라고 하는 것을 가지고 골뱅이처럼 만들어본 '모뱅이'라는 제품이다. 모래집과 골뱅이의 합성어로 만들어진 제품명이다. 전국적으로 시판되지는 않았지만 개인적으로 가장 애착이 가는 제품이다. 이런 과정에서 생산에 필요한 재료 구매, 설비 보충과정, 포장 디자인, 관공서 서류 작성에 이르기까지. 내 손을 거쳐 작업이 마무리되면 공장에선 내가 개발한 레시피로 만들어진 식품이 포장용기에 담겨 전국으로 나갔다. 첫 제품이 만들어져 출고될 때는 정말 보람도 느끼고 들떠 있었다. 내가 직접 제품을 구입해 주위 사람들에게 먹어보라고, 내가 만든 것이라고 자신 있게 얘기했다. 아마 그때부터 꿈 하나가 생긴 것 같다.

'내 가게를 만들어 많은 사람들에게 나만의 요리를 맛보게 해주고 싶다!'

아내의 권유로 시작하게 된 나만의 요리점

회사에서 일을 하며 실험단계에서 기계화하지 못하는 제품들이 나올 때마다 꼼꼼하게 메모해 놨다가 틈틈이 나만의 래시피로 재탄생시켰다. 하나, 둘 모아 집에서 만들어 보고 아내에게도 먹여 보고 반응이 좋았던 요리들은 다시 보완해서 완성을 시켰다. 그렇게 나만의 요리, 가게에 대한 꿈이 커질 때쯤이었다. 아내가 '남부시장 청년몰' 이야기를 꺼냈다. 내가 무엇을 하고 싶은지, 어떻게 준비를 해나가고 있는지 누구보다 잘 알고 있는 사람이 바로 아내였다.

청년몰은 문화관광부 지원사업인 '문전성시(문화를 통한 전통시장 활성화 시범사업)'의 일환이다. 전주 남부시장은 전라북도 내에서 역사와 전통이 가장 깊고 규모가 가장 큰 전통 시장이다. 하지만 여느 전통 시장들과 마찬가지로 대형마트와 기업형 슈퍼마켓 등에 밀려 침체 분위기에 가라앉아 있었다. 이곳에 젊은 기운을 불어넣어 시장도 살리고, 청년 창업도 지원한다는 목표 아래 청년 상인들을 모집해 장사할 수 있는 공간을 제공한 것이다.

남부시장 6동 2층에는 백반집 한 곳과 보리밥집 한 곳이 운영 중이었고 나머지는 1층 상인들의 창고 등으로 사용되고 있었다. 그 중 일부 비어 있는 창고들을 청년들에게 1년 간 무상으로 임대해

주는 등의 지원을 해주기로 했고, 지원자의 창업 아이디어와 가능성 등을 심사해 입주할 청년 장사꾼을 선정했다.

아내가 처음 청년몰 이야기를 꺼냈을 때는 그냥 하는 말이겠지 생각했다. 창업을 시작하기에는 경제적으로도 준비가 덜 된 상태였고, 아이는 이제 막 초등학교에 들어갈 참이었다. 안정된 가계를 생각하지 않을 수 없었다. 그런데 아내는 포기하지 않고 몇 번이나 나를 설득했다.

"지금 내가 맞벌이를 하고 있을 때 뭐라도 시작해봐. 지금이 아니면 다시 기회가 없을지도 몰라."

아내의 말에 용기를 냈고 전에 준비했던 사업계획서를 수정하고 보강해 제출했다. 결과를 기다리는 한 달의 시간이 얼마나 길었는지 모른다. 아직 선정되지도 않았는데 '가게 인테리어는 어떻게 해야 하나' '이름은 무엇으로 정하지?' 여러 생각들로 들떠 있었다. 그런 기다림의 초조함이라니. 기다림의 시간들이 흐르고 막상 선정되었다는 연락을 받자 살짝 자만심도 들었다.

"그럼 그렇지, 이렇게 준비를 많이 했는데! 내가 아니면 누가 되겠어."

하지만 나와 같이 선정된 다른 청년들을 만나고, 서로의 아이템을 공유하고, 직접 인테리어를 하면서 이런 나의 자만심은 산산이 깨졌다. 나만 열심히 살고 있었던 게 아니었다. 젊은 친구들이 이렇게나 열정적으로 자기 일에 목숨을 걸고 있었다는 걸 알았다. 나아가 내가 그들 가운데 가장 나이가 많고 사회 경험도 많으니

이 친구들에게 모범적인 모습을 보여야 되겠다는 굳은 결심까지 갖게 되었다.

준비를 하면서 힘들기도 했지만 처음에는 톱질도 제대로 하지 못했던 친구들이 실내장식이며, 가구며 뚝딱뚝딱 만들어낼 때는 내 가게가 아니어도 뿌듯했다. 이곳에 와서 보면 바로 알겠지만 가게들의 실내장식은 전부 새 재료를 사서 만든 것이 아니다. 아파트, 고물상 등을 돌아다니며 버려졌던 폐가구나 재활용 자재, 나무들을 모아 직접 만들고 다듬고 칠한 것들이다. 그나마 내가 용접기술이 있어서 철제품을 구하면 직접 용접까지 했고, 전문가들이 한 것만큼은 아니어도 우리들 손을 직접 거친 애정 어린 가게 모습이 완성되었다.

좌충우돌 속에 성장하는 청년몰 식구들, 그리고 나

'카페 나비'가 이곳의 1호점이다. 우리보다 1년 먼저 오픈을 했고, 뒤이어 가게들이 하나씩 문을 열자 젊은 사람들이 우르르 모여서 뭔가를 하겠다는 게 신기했는지 주위 상인들이 많은 관심과 조언을 나눠주었다. 그분들과 친분도 많이 쌓았다. 처음에는 젊은 사람들이 시장에서 잘 해낼 수 있을까 반신반의하는 분들도 많이 계셨지만, 지금은 어머니처럼 아버지처럼 아들, 딸에게 하듯이 그렇게 모두들 쓰다듬어 주시고 챙겨주신다. 정말 감사하단 말만으로는 부족

할 때가 많다.

　가게들이 하나 둘 문을 열었고 나만의 가게 '더 플라잉팬'도 드디어 첫 걸음을 내디뎠다. 2012년 5월이었다. 요란한 홍보는 없었고, 그해 따라 더위가 너무 빨리 찾아왔다. 나도 다른 친구들도 직접 내 가게를 운영해본 경험은 없었기에 장사의 기본도 지키지 못하고 허둥대는 일이 많았다. 한 번은 일요일이었을까, 아침 일찍부터 50대가량 되어 보이는 중년 아주머니가 남자 손님들을 여러 명 모시고 왔다.

　"여기가 청년몰이야? 이게 뭐야?"

　아주머니 말씀 속에는 실망한 기색이 역력했다. 이유를 물어보니 가게들이 얼마 문을 열지 않아 실망하셨다는 것이다. 방송에서 봤을 때는 상점들이 많고 뭔가 활기찬 분위기여서 일부러 찾아왔는데 말이다. 오늘은 일요일이고, 교회에 가는 이들도 있고, 쉬는 곳이 많아서 그렇다고 말씀을 드렸다. 아주머니는 시에서 지원받아서 영업을 하는 곳이 이런 식으로 운영을 해도 되냐면서, 이게 다 우리들 세금 아니냐며 핀잔을 주셨다.

　"젊은 애들이 하는 게 다 그렇지 뭐."

　마지막으로 한 마디를 던지고 뒤돌아 가시는데 참 별난 아주머니다 싶으면서 기분이 상했다. 아침부터 오늘은 일진이 안 좋다고 생각했지만 그날 하루 아주머니 말이 계속 귀를 울렸다. 지원금을 받은 곳, 국민들의 세금이 들어와 있는 곳. 그러면서 개업 준비에 흥분해 잊고 있었던 사실을 깨달았다.

"여기는 내 가게이지만 우리들만의 것이 아니구나."

청년몰 식구들과 함께 이렇게 안일하게 장사를 해서는 안 되겠다고 당장 논의를 시작했다. 우선 장사의 기본부터 지키기로 했다. 전문 강사를 초빙해서 손님을 응대하는 방법과 마케팅에 관한 컨설팅을 받고 보충해야 할 시설물이나 홍보활동 등을 체계적으로 나누어 진행하기로 했다. 오랫동안 방치했던 주변의 지저분한 것들을 정리하고 시설물 설치도 새로이 하고 깨끗하게 만들었다. 시간이 지나니 관광객들이나 시민들이 점점 많이 청년몰을 찾아오기 시작했다.

처음에는 시장 2층에 이런 곳이 있는지 모르는 사람들이 많았다. 올라오는 길을 찾을 수 없다는 사람들도 있었다. 그러나 지금 모두의 노력 아래 이런 점들이 많이 개선되어 이곳을 관광 코스로 생각하고 일부러 찾아오는 분들도 많다. 발전해가는 나의 가게, 나의 모습 그리고 청년몰 식구들을 볼 때마다 뿌듯함을 느낀다.

함께 나누는 문화에 대해 더 큰 꿈을 품다

궁금한 분들을 위해 잠시 청년몰과 함께 시작한 나의 첫 가게 '더 플라잉팬' 이야기를 해야겠다. 다소 조폭 같은 투박한 얼굴이지만 옆집 아저씨 같은 친근한 입담으로 손님들과 대화를 나누며 볶음밥과 볶음면을 중식 화덕에 볶아주는 요리점이다. 치익 치익 불꽃이

튀는 곳에 손님들의 함성이 일고, 일상의 이야기들을 나누며 우리는 중국 사람들처럼 소란스럽게 요리하고, 먹는다. 치킨텐더는 빼놓으면 서운한 인기 메뉴다. 유쾌한 분위기 속에서 불 맛이 제대로 느껴지는 요리를 편안한 가격에 제공하는 게 우리 가게의 매력 포인트이다.

전주 남부시장 청년몰에는 우리 가게 외에도 재미있는 많은 가게들이 자리 잡고 있고, 하나씩 늘어가는 중이다. 핸드드립 커피와 수제차를 즐길 수 있는 고양이 테마 카페 '카페 나비', 전주 유일의 보드게임방 '같이놀다 가게', 귀엽고 깜찍한 수제 소품을 팔며 강습도 하는 '그녀들의 수작', 양모 공예와 재활용 공예품을 만날 수 있는 '나는 나', 디자인 응급센터 혹은 디자인 잡화점이라 불리는 '미스터리 상회' 등등 먹고 마시고 놀고 쇼핑하며 배울 수 있는 다양한 아이템, 다양한 사람들, 다양한 가게들이 촘촘히 모여 있다. 이렇게 개성 넘치는 젊은 친구들이 모여 좌충우돌 마치 시트콤 같은 일상을 연출하는 곳이 바로 청년몰이다.

사실 처음 청년몰에 들어왔을 때는 그저 내가 하고 싶었던 점포를 열었으니 열심히 키워야겠다는 생각이 컸다. 내가 개발한 음식, 내가 만든 브랜드로 체인점을 만들고 동네마다 가까운 곳에서 나의 음식을 누구나 쉽게 즐길 수 있게 만들어야겠다는 생각뿐이었다. 그러나 여러 가지 분야에 깊고 다양한 생각을 가진 많은 사람들과 만나 이야기와 생각을 나누다 보니 협동조합 설립이나, 사회적 기업, 문화적인 소통 등에 대해 많은 생각을 하게 되었다. 지금 하고 있는 점포 외에도 단순히 먹는 가게만이 아닌 무언가 문화적으로 소외된 지역사회에 기여할 수 있는 일에도 참여하고 이끌어 나가고 싶다는 건강한 욕심이 생기게 된 것이다. 물론 나 혼자 할 수 있는 일은 아니다. 우리 청년몰 식구들 그리고 뜻 있는 남부시장 상인들과 함께 교류하며 생각을 나누고 하나하나 행동에 옮긴다면 언젠간 우리들의 꿈과 생각들이 실현되리라 믿는다.

나만의 프랜차이즈 사업을 하고 싶다는 꿈 역시 꼭 이루고 싶다. 기존에 있는 곳들도 훌륭한 곳이 많지만, 나만의 색깔과 맛과 정을 나눌 수 있는 매장을 곳곳에서 만날 수 있게 하고 싶다. 그저 '저 집 음식은 먹을 만해! 한번 갔다 와볼까?'로 끝나는 게 아니라 '그곳에 가면 맛도 있고, 정도 나눌 수 있다'라는 이야기가 듣고 싶은 것이다.

가슴에 품고 있던 사업계획서를 제출하고 실현하기까지 10년이 걸렸으니 지금 싹 트고 있는 꿈 역시 오랜 시간이 필요할 것이다. 몇 년이 걸리든 나는 계속 발전하고 준비할 것이다. 준비된 자가 기회를 얻을 수 있다고들 하지 않는가. 무작정 '난 무엇이 되고 싶어' 하고 생각만 한다면 기회가 와도 놓치고 말 것이다. 항상 꿈을 위해 준비하고 보완하고 개발한다면 누구에게나 없던 기회라도 찾아오지 않을까.

가장 중요한 것은 도전정신이다. 설사 실패를 하더라도 그 실패의 경험이 다음에 올 기회의 밑거름이 되어 힘이 된다면 그건 더 이상 실패라고 이야기할 수 없다. 모두들 도전하길! 나이가 많든 적든, 바로 지금!

김은홍

40, 더 플라잉팬

오너쉐프

그림에 관심이 많아 디자인을 전공했으나 우연히 요리에 재능이 있다는 것을 깨닫고 양식, 일식 조리기능사 자격을 취득했다. 그 후 고향 전주를 떠나 서울의 중식 프랜차이즈 회사에서 근무하며 손님 응대와 매장 관리, 요리 등을 익혔다. 서울 생활에 지쳐 있을 즈음 귀향을 꿈꾸며 익산에 있는 식품회사에 입사했다. 그러던 중 아내를 통해 전주 남부시장 청년몰 지원 사업을 알게 되고 사업계획서를 제출, 5대1의 경쟁을 뚫고 당당히 선정되었다. 그간의 여러 경험들을 살려 청년몰 곳곳에 도움이 필요한 순간 어김없이 나타나 크고 작은 일들을 해결하는 청년몰의 '홍반장'으로 불리고 있다. 볶음요리 전문점 '더 플라잉팬'을 운영하며 소스는 직접 개발하고, 모든 재료는 남부시장에서 직접 공수해 지역의 시장, 그리고 사람들과 함께 더불어 성장하는 꿈을 꾸고 있다.

전라남도 지역 정보

5시 17군의 행정구역이 있다. 한반도 서남부에 위치하여 동쪽은 소백산맥, 서쪽은 노령산맥이 경남과 전북과의 경계를 지어준다. 순천만, 보성만, 여수만 등과 진도, 완도, 돌산도 등 1965개의 많은 섬이 있는 리아스식 해안을 이루고 있다, 해안과 도서지방은 연교차가 적은 편이지만 내륙지방은 여름의 고온과 겨울 저온의 기온차가 크다. 겨울엔 소백산맥의 서쪽 비탈진 경사면에 눈이 많이 내리며 남서해안 일대는 강수량이 많고 안개가 잘 낀다. 영산강 유역의 나주평야에서 나는 나주 쌀을 비롯하여 배, 사과, 녹차, 돌산 갓, 게장, 굴비, 꼬막 등 품질 좋은 농수산물을 생산해 내고 있다. 꽃피는 3월에 광양 국제매화문화축제와 구례 산수유 꽃축제, 4월엔 진도 신비의 바닷길축제, 12월 보성차밭 빛 축제 등 아름다운 자연환경을 살린 축제가 많이 열린다.

이명훈 씨가 정착한 순천시

1읍 10면 13동의 행정구역이 있다. 조계산, 고동산 등 전체 면적의 70%가 산지로, 전남에서 산이 가장 많은 도시이다. 남단에 자리 잡고 있고 바다와 접해 있어 겨울에도 비교적 온난한 기후이다. 순천만 일대는 국제습지조약에 등록된 습지보호구역으로 흑두루미 등 희귀 조류와 생물이 서식하는 생태계의 보고이다. 천년고찰 선암사와 승보사찰 송광사, 낙안읍성 등 역사와 문화가 잘 보존되어 있다. 관광지로 향하는 시내교통이 잘 정리되어 있어 대중교통과 기차를 이용한 관광이 용이하다. 시민들의 학습열이 높고 도서관이 많은 교육도시이기도 하다. 꼬막, 짱뚱어, 굴비정식 등의 음식이 유명하며, 쌀, 단감, 고들빼기 등의 농산물이 많이 나온다. 5월 낙안민속문화축제, 10월 남도음식문화큰잔치, 11월에는 순천만 갈대축제가 열린다.

서울에서 순천까지 접근성

 센트럴시티터미널에서 순천행 고속버스 이용 시 소요시간 3시간 45분. 동서울터미널에서 순천행 시외버스 이용 시 소요시간 4시간 20분.

 서울역에서 순천역 KTX 이용 시 소요시간 3시간 30분. 용산역에서 순천역 KTX 이용 시 소요시간 3시간 12분.

 자가용 이용 시 서울에서 3시간 20분 거리.

 김포공항에서 여수공항으로 아시아나항공 또는 대한항공 이용 시 50분. 순천으로 택시 타고 30분 내외.

어떤 귀향,
문화와 예술을 고민하다

2009년 여름 마포구 상수동에서 한 차 가득 이삿짐을 실은 트럭은 마지막으로 내 몸을 실어 올리곤 서울을 떠났다. 이삿날은 여러 가지 신경 쓸 일이 많아 긴장을 쉽게 풀기 어렵다. 혼잡한 서울, 경기를 벗어나 천안부터는 고속도로가 시원해진 느낌이었다. 그 많은 차들은 어디로 가버렸을까? 조수석에 앉은 나는 트럭 기사와의 어색함을 풀기 위해, 그의 졸음을 방지하기 위해 이리저리 실없는 이야기들을 꺼내 들었지만 대화는 재미가 없었고 자주 끊겼다. 오히려 그동안 이사를 준비하면서 쌓인 피로감 때문이었는지 스르르 잠까지 들고 말았다. 라디오에서 흘러나오는 출연자들의 시시콜콜한 수다와 잡담, 55분 교통정보, 인기가요, 희망가요의 소리들을 싣고 트럭은 고속도로 위를 무섭게 내달렸다. 졸다가 깨다가 달리는 차들의 타이어가 뿜어내는 괴상한 마찰음 사이로 환기를 위해 차창을 내릴 때면 유리창 사이로 바람 소리가 거칠게 빨려 들어왔다. 한참을 달렸다. 도로 표지판에 '순천'이라는 단어가 보이는 순간 묘한 흥분이 온 몸을 휘감았다.

"순천에 오신 것을 환영합니다."

그 어느 때보다 더 이 글이 또렷이 눈에 들어왔다.

우리가 만들고 싶었던 '망상적' 예술공간

고향인 순천에 돌아와 이삿짐을 다 풀기도 전에 나와 아내는 두 사람이 활동할 공간을 찾아냈다. 순천 원도심에 비어 있는 3층 건물 전체를 겁도 없이 덜컥 임대했다. 전체 공간의 이름을 '예술공간 돈키호테'로 짓고 그 중 한 층은 '카페 산초'로 이름을 정해 공사에 들어갔다. 이미 귀향 전에 서울에서 아내와 함께 지어 놓은 이름이었다. 이름 짓기는 중요한 작업이었다. 이름이 곧 우리의 정체성이고 목표이기 때문이다.

세르반테스의 가공의 인물 돈키호테는 우리가 생각하는 '예술가'의 다른 이름이었다. 더 이상 '기사도'가 통하지 않는 세상에서 돈키호테는 종자 산초와 그의 종마 로시난테를 데리고 불의에 찬 세상을 향해 돌진을 거듭한다. 그러는 그를 향해 세상은 '미치광이', '망상가'라고 비웃는다. 그러나 돈키호테는 자신의 신념을 포기하지 않는다.

아웃사이더로서 우리의 모습은 그런 돈키호테를 닮아 있었다. 아니, 그를 닮고자 했을지도 모른다. 그러나 우리는 돈키호테만을 내세운 것은 아니었다. 그의 옆에는 현실을 잘 알고 있는 산초라는 인물이 있지 않은가. 산초는 미치광이 취급을 받는 주인 곁을 떠날 수도 있었지만 그를 끝까지 성실하게 보필한다. 전혀 상반된 기질을 가진 두 인물은 그렇게 한 시대를 옛날 기사들의 무용담을 탐독하면서 출정에 출정을 거듭한다. 예술공간 돈키호테는 예술가들이 다양한 무용담을 나누다가 때때로 결의에 찬 출정식을 거행하기도 하는 예술가들의 망상적 아지트라고 할 수 있다.

예술공간을 직접 운영해보자는 생각은 아내와 나, 모두에게 공간에 대한 어떤 환상, 아니면 이상이 있었기 때문에 가능했을 것이다. 같은 고향에서 입시 미술을 같이 했고, 서울에서 함께 대학생활을 하면서 친해지고 독일 유학도 함께 떠났던 동갑내기 아내는 나의 오랜 친구이면서 예술 동지였다. 미술을 전공하다 중간에 연극 연출로 바꾼 그는 제도교육을 뛰쳐나와 다양한 예술현장에서 독립 연출과 퍼포먼스 작업을 했다. 그러다 2007년부터 2008년까지 한국문화예술위원회에서 추진했던 '다원예술 매개공간' 디렉터로 일했다.

공간 디렉터를 맡은 아내는 홍대 앞에 공간을 임대해 2년 동안 다양한 예술 프로그램을 진행했다. 음악, 무용, 문학, 미술, 영화, 연극 등 여러 장르의 예술가들과 비평가, 기획자들이 드나들며 장르 간의 협업이나 실험적 예술을 선보이고 비평과 담론을 펼친 흥미로운 예술공간이었다. 그런 예술공간 운영을 경험한 아내는 그보다 자율적이고 독립적인 공간을 운영해보고 싶어 했다. 나 역시 2004년부터 '보충대리공간 스톤앤워터'라는 지역의 한 대안공간에서 큐레이터로 일했고, 2006년 이후에는 독립 큐레이터로 산발적인 프로젝트를 진행해 오면서 뭔가 정주할 수 있는 나만의 예술공간을 꿈꿔 왔었다.

서울에서의 삶이란, 때가 되면 새로운 거처를 찾아 나서야 하는 이사, 불안정한 계약에 의한 이직, 생계라고 하는 현실 문제와 대안 예술에 대한 이상을 함께 풀어내야 하는 이주형 프리랜서의 생활이다. 그 삶은 나에게 적지 않은 스트레스를 안겨 주었다. 언제부터인가 뿌리를 깊게 내리지 못하는 넝쿨식물 같은 노마드의 삶이 나에게는 맞지 않다는 생각을 하게 되었다.

나는 서울이라는 용광로 같은 도시에 뿌리를 내릴 수 있을까? 과연 서울에 그런 토양이 있기는 한 것일까? 의문은 계속되었다. 그 누가 쉽게 뽑아 버리거나 베어 버리기 어려운 든든한 나무 한 그루, 뿌리가 깊지 않아도 서로서로 연결되어 의지하며 거센 바람을 막아 낼 수 있는 대숲 같은 생태계를 온전히 만들어 낼 수 있을까?

홍대 앞을 보자. 장사치들은 소소한 문화 공간을 변방으로 밀어내고, 개발지상주의 성장을 제일로 치는 정권이 등장하자마자 기다렸다는 듯 도처에서 무너져 내리는 오래된 주택들. 불도저와 포클레인이 아무렇게나 파헤쳐 놓은 마을과 곳곳에 붙어있는 임대, 분양, 대출광고. 이곳은 과연 사람이 온전히 살만한 곳인가?

왜 우리에게 '귀향'에 대한 담론은 이다지 빈약한 것일까

우리가 선택한 곳이 순천인 것은 어디까지나 두 사람의 고향이기 때문이었다. 순천에서도 원도심을 고집했던 이유는 '문화예술을 통한 도시재생 가능성'이라는 시대적 아젠다agenda도 있었지만, 두 사람의 문화적 정서와 기억이 '거기에' 남아있었기 때문이었다.

만약에 서울에서 공간을 임대해 운영할 수 있는 경제적 여유가 우리에게 있었다면, 순천이 아닌 다른 곳을 선택해야 했다면 좀 더 많은 고민을 했을지도 모르겠다. 우리는 요즘 자주 귀에 들려오는 '귀농'이나 '귀촌'의 형태는 아니다. 엄연히 순천은 도시고 두 사람의 고향이었으므로 이것은 정확하게 말하면 '귀향'이라 말할 수 있는 것이고, 지금 나의 일종의 회고는 어떤 귀향에 대한 문화적 담론에 관한 것이라 할 수 있겠다. 왜 우리에게 '귀향'에 대한 담론은 이다지 빈약한 것일까?

1992년 대학 입학으로 고향을 떠나 서울 생활을 시작했다. 대도시가 주는 익명성에 기초한 자유, 대도시의 휘황찬란한 스펙터클을 즐기면서 전국에서 올라온 각기 다른 문화적, 정서적 차이를 가진 사람들과의 만남은 나름 흥미로운 일상의 연속이었다. 80년대 말의 패배주의 같은 우울함도 아직은 남아 있었지만 90년대는 비교적 개성이 넘쳤고 새로운 문화와 예술에 대한 담론이 거셌다.

그런 분위기 속에서 '신세대', 'X세대', '오렌지족'이라는 이름으로 90년대 청년 세대는 다르게 규정되어 갔다. 소위 하위문화, 인디 문화의 메카로 일컫는 '홍대 앞' 문화가 싹튼 것도 90년대 초중반 무렵이었다. 갈수록 문화연구의 담론들과 신조어들이 넘쳐났고 대안 교육, 대안문화, 독립예술도 90년대 중후반에 등장한 주요한 관심사 가운데 하나가 되었다.

'민중'이라는 이름 대신 '시민'이 등장했고, 거대 담론보다는 미시 담론, 중심보다는 탈 중심, 끄떡하면 '포스트모던postmodern',

'다원주의'가 어쩌고 하는 이야기를 많이 했다. '민주화'의 구호는 서서히 '민주주의'나 '자치'의 실현이라는 개념으로 옮겨가고 있었다. '일상'이라는 개념은 특히 문화 예술분야, 미학에서도 중요하게 채택되었다. 일상의 소소함, 별로 주목하지 않았던 일상의 모습이나 사물들, 그리고 그것들을 둘러싼 일상의 감성들이 작품에 투영되고 주요 소재로 채택되기 시작했다. 그야말로 '별 거 아닌 것', '대수롭지 않은 것', '쓰레기로 치부되었던 것', '주변부에 밀려나 있었던 것'들이 재발견되고, 재활용되고, 재음미되었던 것 같다.

그러나 기득권의 고급문화에 대한 지향, 체면과 타성에 젖은 문화적 속물근성 또한 여전했다. 그런 것들이 그때 당시 새롭게 등장하고 있었던 주변부의 문화나 하위문화, 소수자 문화 등 문화 다양성의 성장을 방해하고 있었다. 90년대가 품어낸 새로운 문화적 상상력은 80년대와 확실히 대비되었다. 나의 20대, 그러니깐 90년대는 알게 모르게 나의 가치관, 상상력, 세계관에 지대한 영향을 준 것을 부인할 수 없을 것 같다. 내 스스로 제도보다는 제도권 밖, 주류보다는 비주류, A급이 아닌 B급을 지향하려는 태도는 어쩌면 90년대의 영향이 아니었을까?

강준만은 변방에서 중앙을 쳤다

1999년 미술대학을 졸업한 후, 나는 미술잡지사 기자로 사회생활을 시작했다. 작품 창작을 주목적으로 하는 작가 생활을 포기한 것이 아니라 생활을 위해 잠시 접어두는 것이라 생각했다. 지금도 그렇지만 창작 예술가의 길은 그리 녹녹치가 않다. 졸업 후 딱히 벌이가 없었던 나로서는 직장생활이 하나의 대안이었다. 그러나 내 인생이 어떤 길로 갈지 확신할 수 없었던 상황에서 시작한 기자생활은 그리 오래가지 않았다. 기자가 나의 천직이 아니라는 생각을 뿌리 깊게 가지고 있었기 때문이라고도 말할 수 있지만 '한 달 살이'하는 월간지 기자들의 노동은 이만저만한 것이 아니었다. 서서히 지쳐갔고 기사를 작성하기 위한 지식도 메말라 버렸다고 생각하는 순간부터 나에게 (재)충전의 시간이 필요하다는 생각을 했다.

당시는 '안티조선 운동'같은 언론개혁의 바람이 휘몰아 칠 때여서 언론인의 한 사람으로서 기자의 양심, 정의, 비판정신 같은 요구로부터 내 스스로 자유로울 수 없었다. 당시 언론개혁의 중심에 있었던 강준만 전북대 교수가 시작한 <인물과 사상>이라는 매체는 나에게도 큰 영향을 끼쳤다. <인물과 사상>은 '성역과 금기에 도전한다'는 슬로건을 내세우며 한국 지식사회에 대단한 이슈를 만들어 냈다. 지역에 있으면서도 한국 사회의 치부와 병폐에 날카롭게 비판을 가하는 강준만 교수는 <인물과 사상>을 통해 시대정신이 무엇인지, 그것을 어떻게 실천해야 하는지를 고민하게 만들었다.

그를 언론보도에 의거한 편집증적 칼럼니스트에 지나지 않는 변방의 언론학자로 치부하는 사람들도 있지만 나에게 그는 지성인이 어때야 하는가에 대한 하나의 역할 모델이 되었다. 그를 생각하면서 일생을 고향 쾨니히스베르크Königsberg에서 살면서 심오한 비판 철학을 발전시킨 칸트Immanuel Kant를 생각해 본다. 다산 정약용 같은 인물이 18년 간의 강진 유배생활을 통해 자신의 학문을 완성시킨 것도 생각해보면, 역사적으로 훌륭한 인물, 인재들이 반드시 중앙 무대에 진출해 거기서 인정받았던 것만은 아니었다는 사실을 일깨워준다.

자꾸 그런 쪽의 사례를 수집하려는 경향도 없지 않지만, 다소 자기 합리화의 문제로 귀결될 수 있기도 하지만, 정도는 달라도 예나 지금이나 부와 권력이 집중되는 중앙 무대라는 곳은 과다 경쟁을 부추기면서 암투와 혈투를 벌이는 장이 아닐 수 없다. 입신양명(立身揚名)을 중요하게 여겼던 유학의 가르침에서도 다만 세상에 나갈 때와 세상에 나가지 않을 때를 분별할 줄 알아야 한다고 조언하지 않는가. 도(道)가 바로 서지 않는 세상이라면 차라리 몸을 숨기고 조용히 물러나는 것이 좋다고 하지 않았는가. 무조건 버틴다고 될 일이 아니다.

'서울 프레임'에 갇혀 있는 '지역'

외국 유학은 당시 나에게 일종의 출구 전략이었다. 그때 지금과 같은 귀향은 생각도 하지 못했다. 다만 공부를 더 하기 위해서, 새로운 세상을 보기 위해서 외국 유학은 두려웠지만 괜찮은 대안이었다.

그러나 유학은 뜻대로 풀리지 않았다. 독일 베를린에서의 1년 반 남짓한 시간 속에서 한국의 입시와 비슷한 대학 진학을 위한 어학 공부는 즐겁지 않았다. 언어 장벽은 생각보다 넘기 어려웠고, 경제적인 문제와 체류비자의 문제는 이방인이었던 나를 더욱 초라하게 만들었다.

낯선 외국 생활을 통해 나는 언어가 얼마나 중요한 것인지 깨달았다. 언어는 단순히 의사소통을 위한 매개 이상으로 문화와 역사, 정신 같은 것이 켜켜이 담겨 있다. 나는 지역 언어, 즉 사투리에 대해 다시 생각해보지 않을 수 없(었)다. 표준어 교육은 사투리를 열등한 언어로 치부해버린다. 표준어란 무엇인가를 따져볼 때, 그것은 '대체로 교양 있는 (중산층) 사람들이 두루 쓰는 현대 서울말'로 규정하고 있다.

지역의 개념에서는 서울말 역시 서울 사람들이 사용하는 지역 언어인 것인데, 서울의 장소성이 한 국가의 수도라고 하는 상징 권력을 획득하면서 국가의 국민은 모두 권력이 집중되는 지역의 언어를 보편적으로 사용하도록 강요받고 있는 것이다.

어떤 언어를 버리고 새로운 언어를 습득한다는 것은 결국 기존의 문화를 버리고(지우고) 새로운 문화를 수용하는 과정이라고도 풀이할 수 있다. 이것은 대단히 반문화적인 것이다.

지역의 고유한 문화가 점차 사라지고 지역의 도시가 몰개성, 표준화 되는 현상이나 청각이나 시각과 같은 감각에서도 권력화가 지나치게 심화된 결과가 아닐 수 없다. 결국 누가 듣는가, 누가 보는가의 시선에 따라, 무엇을 감각의 표준으로 삼는가에 따라 우와 열, 미와 추를 쉽게 판단해버리는, 그 판단기준에 대해 의문을 제기하지 않을 수 없다. 이것은 본질적으로 90년대부터 줄곧 제기된 정체성의 여러 문제, 오늘날의 미학의 여러 문제를 낳고 있는 근원이 아닐 수 없다.

대체적으로 지역 스스로 서울에 대한, 서울 사람에 대한 열등감을 극복하는 것이 중요하다. 한국 사람이 외국인, 특히 그 중에서 영어를 사용하는 백인들에게 가지는 열등감과 같이, 서울이 가지고 있는 상징적 권력을 다양한 방식으로 무장해제 시키는 것이 필요하다. 그러기 위해서 지역에서 해야 하는 일들은 부지기수로 많다.

지역의 역사와 문화를 계속 발굴하고 정리하는 일, 마치 우리가 일제 식민지를 거치면서 잃어버린 언어, 역사와 문화를 되찾듯 각 지역의 고유한 언어, 역사, 문화를 되찾는 일을 기본으로 삼을 필요가 있다. 이 과정에서 '식민사관'과 같이 소위 극복해야 할 프레임들이 있다. 일테면 '서울 프레임'이다.

서울에 비하면 지역은 없는 게 너무 많은 것이 아니라 서울에 없는 것이 지역에 존재하는 것이며, 어떤 것은 서울의 그것보다 지역의 그것이 비교할 수 없이 더 나은 것이라는 점을 찾아내는 것, 서울에서 할 수 없는 것이 지역에서는 가능한 그런 것을 찾아내고 만들어 나가는 일이 중요하다. 지역에서 서울을 흉내 내는 짝퉁 A급이 아닌 독창적인 B급, C급의 문화를 만들어 내는 것이 낫다는 말이다.

문화의 권력화에 맞서는 문화 다양성의 전략

지역을 논할 때, 정치 분야에서는 지방 분권 또는 지방 자치, 문화면에서는 문화 분권 또는 문화 민주주의가 매우 중요한 슬로건이 될 수밖에 없다. 문화적 동질성, 동일성에 기반을 둔 배타성이 아니라 서로의 차이를 인정하고 존중하려는 문화 다양성이 중요한 것 같다. 차이나 다름을 인정하지 않고 같아지려고, 닮아 보려는 것은 결국 서로간의 경쟁을 유발시킬 뿐이다. 상쟁이 아닌 평화로운 공존을 이루기 위해서는 서로의 다름을 인정해야 하고 존중할 줄 알아야 한다. 이것은 서울과 지역의 관계에서도 그렇지만, 지역 안에서도 중요하다. '내가 모든 걸 잘 할 수 있다'는 생각은 어쩌면 위험하기 그지없다. 협업과 협동의 문화가 결국 오늘의 지역 문제도 풀어낼 수 있다고 본다. 물론 모든 일을 '무조건' 함께 하는 것만이 미덕은 아니다. 지역에 있다 보니 지역에 뭐도 없고 뭣도 없기 때문에 '무조건' 함께 잘 해보자는 권유를 많이 받는다. 의사를 묻지도 않고 따지지도 않는 무조건적인 참여는 오히려 의사소통을 가로막는 경향이 있다.

독일에서 내가 느낀 가장 큰 문화 충격은 지역 문화가 활성화되어 있다는 점이다. 그것은 역사적으로, 정치적으로 독일 사회가 중앙 집권이 아닌 지역 분권으로 만들어진 국가이기 때문이라고 한다. 독일은 도시마다 저마다의 문화적 프라이드가 있다는 인상을 강하게 받았다. 인구 몇 만의 소도시에서는 세계적 예술가가 활동하고 세계 도처에서 사람들이 모여드는 축제가 치러지는가 하면, 훌륭한 인재를 배출하는 대학도시들이 있다. 평생 자신의 고향을 떠나지 않고도 대철학자가 될 수 있었던 칸트를 다시 생각해보면 그런 독창적인 인물이 나올 수 있는 역사와 문화를 가지고 있는 나라가 독일이었다. 그렇다면 이것을 단순히 지방 분권 국가와 중앙 집권 국가 간의 문화적 차이라고 말할 수 있는 것일까? 독일은 그것이 자연스럽게 되었고 한국은 그것이 불가능에 가깝다고만 할 수 있을까?

1995년 지방 선거가 처음으로 실시된 이래 한국의 지방 자치의 역사는 17년 정도이다. 아직은 여러모로 미숙한 단계여서 앞으로 더 지켜봐야겠지만, 불과 10년 정도의 시간 동안 정치 분야의 민주화, 즉 민주주의의 심화로 이어지는 흐름은 당장에 경제 분야로까지 번지고 있다. 비록 지금은 '경제 민주화'를 외치는 정도의 단계이고 세계화의 신자본주의 흐름에서 이것이 경제민주주의로 발전할 수 있을지는 지켜봐야겠지만, 아무튼 우리는 이를 통해 재벌 중심의 권력형 경제모델에서 중소기업의 육성이나 협동조합과 같은 분권형의 대안 모델들을 찾고 있는 것은 분명하다.

이참에 죽어 있는, 혹은 죽어가는 지역 경제에 대해서도 생각해볼 문제다. 문화 분야에서도 변화는 감지된다. 문화 민주화의 패러다임은 점차적으로 문화 민주주의로 발전해가고 있다. 일상이나 생활 친화적 문화 공간이 거대한 박물관이나 미술관, 극장들을 대체하면서 다양한 형태로 속속 등장하고 있고 마을 단위나 공동체

문화 활동이 권장되고 있으며, 아마추어 동아리 활동이나 각종 지역 문화 모임들이 도처에 생겨나고 있다.

과연 이들이 모이고, 활동하는 장소는 어디인가? 과연 이들은 먹고 살 만하기 때문에 문화 예술을 즐기려고 하는 것인가? 그들이 원하는 것이 어떤 문화 예술인가를 살펴봐야겠지만, 문화와 예술 활동이 증가하는 것은 어쩔 수 없이 물질적이든 정신적이든 시간 여유와 관련이 있다. 직업적으로 문화 예술을 생산하는 사람들에게는 그것이 생계와 직결되는 현안이기도 하고 그것을 관객의 입장에서, 순수 아마추어의 입장에서 즐기려는 사람들에게 문화 예술은 또 다른 휴식의 방법이다. 건강을 위해서 운동을 하는 것처럼, 단순히 허기진 배를 채우기 위한 한 끼 식사가 아니라 가족과 함께, 연인과 함께하는 일상 속의 특별한 이벤트로서 맛집을 찾는 것과 마찬가지로 문화 예술 활동의 증가도 그렇게 이해될 수 있다. 이것이 단순한 사치나 허영이 아니라면 그것은 일상에 필요한 활력을 부여하는 웰빙well-being의 일종으로 이해해도 좋다.

다시 한 번 강조하고 싶은 것은 문화 예술을 사치나 허영의 대상으로 접근하는 것은 웰빙이 아니라 스트레스가 되기 쉽다는 점이다. 지식백과사전은 웰빙을 육체적, 정신적 건강의 조화를 통해 행복하고 아름다운 삶을 추구하는 삶의 유형이나 문화를 통틀어 일컫는 개념으로 정의하고 있다. 세계보건기구에서는 이러한 웰빙을 달성하기 위해서는 '개인과 집단이 자신의 목표를 확인, 실현하고 욕망을 충족시킬 수 있으며, 환경을 개선하거나 변화하지 않은 환경에 대처할 수 있어야 된다'고 설명한다. 즉 '인간의 생활은 상호 의존적이며, 개인의 행동은 타인의 웰빙을 서로 간에 교환하게 된다. 좀 더 건강해지기 위해서 사람들은 더 공유하고, 상호 간에 웰빙을 향상시켜 생활해 나가도록 노력해야 한다'고 말하고 있다. 단순히 '문화'를 강조하는 것이 아니라 '문화 활동'을 하라는 것이다. 활동은 곧 에너지의 발산이기 때문이다.

문화(文化)라는 단어로도 충분하다

귀향도 귀농이나 귀촌처럼 그렇게 낭만적이고 이상적으로만 볼 것도 아니다. 도처에 풀어내야 할 문제들이 산적해 있다. 귀향에서 발생될 수 있는 난제 중 하나는, 미처 예상하지 못했던 것인데 부모님들과의 관계이다. 자식 하나가 한참 일할 30대 후반에 귀향을 했다. 서울에서 대학을 다녔고 졸업 후 여기 저기 직장도 다니고 자기 활동 분야에서 인정도 받고 있으니 걱정하지 말라던 자식 부부가 고향에서 살아보겠다고 돌아온 것이다.

"지역에서 문화 예술로 먹고 사는 일이 뭐가 있나? 전망은 있나?"

부모님은 묻고 또 묻고 반신반의하신다. 지켜봤더니 예술공간을 운영해보겠다고 3층 건물을 통째로 임대했다가 2년 후 건물주가 임대료를 올리자 재계약을 포기하고 새로운 공간을 찾아 이사해 버렸다. 그나마 공간 임대료는 시에서 보조를 해준다고 한다.

들던 중 다행이지만 그래도 이놈들이 어떻게 벌어서 먹고 사는지? 시의 사업을 맡아 한다는데, 매번 바쁘다고만, 일이 많다고만 하지만 신통치가 않아 보이는데.

가까이서 지켜보시는 양가 부모님의 노심초사는 이만저만한 것이 아니다. 솔직히 부모님이 계시는 고향에서의 활동이라는 것이 다소 자유롭지 못한 면이 없지 않다. 자식이 멀리서 살면 가끔 안부전화를 드리거나 명절 때나 찾아뵙게 되는 정도의 느슨한 유대감이 형성되지만 이제는 그럴 수 없다. 지역 사람들이 바쁜 이유 가운데 하나는 참석해야 하는 가족 대소사가 많기 때문이라는 것을 내려와서 알게 되었다.

'문화'에 비하면 '예술'이나 '예술 활동'을 설명하기에는 더 큰 어려움이 있다. 자기 세계를 창조해가는 개성을 가진 예술가들이 많지 않고 예술 분야에서 성취하고 싶은 지향점이 대개 서울을 동경하는 지역의 경우에는 더더욱 '예술'이라는 단어는 오해를 불러일으키기 쉽다. 나는 여태 '문화 활동'이 아닌 '예술 활동'에 비중을 두어 내 자신을 설명해 온 것 같다. 예술이라는 단어가 보다 전문적이라는 점 때문에 그러지 않았나 라는 생각을 해본다.

문화 기획자라는 말보다는 예술 감독이나 큐레이터라는 직함으로 활동을 하다 보니 의식 또는 무의식적으로 문화와 예술을 구별 지으려는 관습이 생겨난 셈이다. 문화의 정수나 핵심이 예술로 발현된다는 생각에서는 예술이 분명 문화의 개념보다는 좀 더 전문적이고 엘리트주의다운 측면이 없지 않다. 문화와 예술을 이분법

적으로 구별 지으려고 하는 순간, 접근성에 관한 문제가 생긴다. 즉 예술은 이해하기 어렵고 아무나 할 수 있는 그런 성질의 활동이 아니라는 인식을 은연중에 심어준다. 그런 측면에서 과연 우리가 예술에 대해 어떻게 교육 받았는지, 사회는 예술을 어떻게 조장하고 있는지를 성찰하지 않을 수 없다. 동시에 나 스스로 예술 활동을 지나치게 설명하기 어려운 활동으로 간주해 주변과 소통을 최소화했는지도 돌아볼 일이다.

최근에 나는 '예술'이라는 단어를 과감히 버릴까도 고민해보았다. '문화(文化)'라는 말 속에는 '변화(變化,Change)'라는 개념이 있는데, 변화, 그것만으로 충분하지 않을까? 우리가 하고자 하는 궁극의 것. 그것은 구체적으로 무엇이었다라고 설명하기 전에 그것은 어떤 변화였던 것이다. 자연의 변화는 물론이고 사회, 정치, 경제, 문화의 변화, 우주의 변화에 이르기까지 우리는 지금 변화 속에서 살고 있다. 변화에 적응하면서, 변화의 이치와 그 조화를 이해하려고 하고, 스스로 변화를 추구하고자 한다. 예술이란 것이 문화의 급진적 추동체라고 한다면 조금 느린 변화, 그러한 변화들의 총체성을 문화라고 할 수도 있을 것이다. 때문에 문화만으로도 충분하지 않을까라는 생각을 해 보았다.

우리는 문화라는 익숙한 말을 통해서 어떤 변화를 계속 만들어 낼 수 있지 않을까? 변화를 바람으로 비유한다면 무엇을 하고자 하는 바람, 더위를 식히는 시원한 바람, 꺼져가는 불씨를 살려내는 바람, 연을 높이 날릴 수 있는 그런 바람으로 충분한 것이 아닐까?

'지나친 것은 미치지 못한 것과 같다'는 한자성어 '과유불급(過猶不及)'. 중용(中庸)이란 얼마나 실천하기 어려운 가치인가!

지역에서 스스로 권력이 되지 않고, 권력에 기생하지 않고, 외부로부터 간섭받지 않으며, 스스로 일구어가는 삶의 다양성. 이런 다양성이 빚어내는 것을 문화라 하고 '삶이 예술인 경지'라고 말하고 싶다. 나는 변화를 원한다. 나는 예술인이다. 나는 문화인이다.

이명훈

41, 순천 예술공간
돈키호테 공동대표, 큐레이터

이명훈은 1973년 순천에서 태어나 살다가 홍익대학교에 입학하면서 서울로 상
경했다. 미술대학을 졸업하고 1999년부터 미술잡지 기자, 미술단체 간사, 큐레이
터로 일하다 2009년 8월 순천으로 귀향했다. 아내 박혜강과 함께 예술공간 돈키
호테라는 이름의 예술공간을 운영하면서 지역의 역사, 문화에 대한 연구를 바탕
으로 다양한 문화 예술 프로그램을 기획하고 있다.

Story 05

경상도로 내려온
이국운, 정은영의 이야기

6백만 명의 사람들이 살고 있는 경상도는 늘 우리 사회의 정치, 경제, 사회의 중요한 이슈를 창출해 온 지역이다. 지리적으로 부산광역시까지 포함하면 대한민국 인구수의 24%에 달하는 천만 인구를 자랑하는 거대 지역이기도 하다. 정치 뉴스에 회자되는 뜨거운 현안은 차치하고라도 경제, 관광, 문화 등 많은 부분에서 수도권을 닮은 계획도시와 산업도시 등이 빠르게 발전되어온 경상도는 어떤 면에서는 서울 사람들이 가장 적응하기 쉬운 지역일지도 모른다. 그러나 서울을 떠나 다른 삶을 계획한 이들은 오히려 서울과 다른 모습, 전혀 다른 일탈을 꿈꾼다.

서울대 법학과와 동대학원에서 석박사 과정을 졸업하고 15년 전 포항에서 학생들을 가르치기 시작한 이국운 교수와 홍대 앞 트렌드의 근거지에서 통영으로 내려와 출판계 최고의 불황기에 지역의 작은 출판사를 시작한 정은영 대표의 선택 역시 그러한 일탈, 그러나 건강한 변화의 시작이었다. 그들이 느끼고 만난 경상도는 매스미디어에서 만난 그것과는 다른, 평범하고 소박한 지역의 삶, 약간의 불편함은 감수해야 하는 작은 도시의 삶 그대로였다.

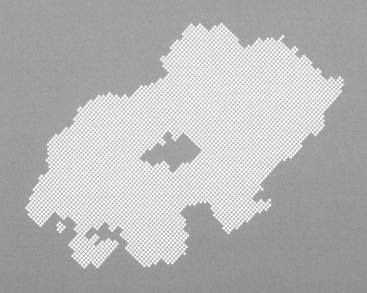

경상북도 지역 정보

10시 13군의 행정구역이 있다. 소백산맥과 운문산, 비슬산 등의 산지가 많고 고도가 높으며 전체적으로 거대한 분지의 지형을 가지고 있다. 대부분의 지역이 산지로 둘러싸여 있기 때문에 겨울과 여름의 기온차가 심한 편이다. 동해안은 태백산맥과 바다의 영향으로 기온차가 심히지 않고 겨울에도 따뜻한 편이다. 내륙지방은 여름철이 매우 덥고 강수량이 적으며, 울릉도는 겨울철 강수량이 많고 눈이 많이 내린다. 경북은 세계적인 철강 섬유산업의 중심지로 수도권 다음으로 많은 38개의 대학과 풍부한 연구인력, 기술력을 보유하고 있다. 신라의 불교문화와 가야문화가 많이 남아 있어 역사와 문화의 흔적을 찾는 관광객들이 많다. 매년 3월 영덕 대게축제와 4월 청도 소싸움축제, 10월 영주 풍기인삼축제 등 그 지역의 문화와 특산물을 살린 축제가 많이 열리고 있다.

이국운 씨가 정착한 포항시

2구 4읍 10면 15동의 행정구역이 있다. 북서부는 태백산맥과 접한 산간지역이고 동쪽 지역은 낮은 산지이기 때문에 농경지로 이용되고 있다. 동해와 접한 해안지방이기 때문에 내륙지역에 비해 겨울이 따뜻하고 연교차가 적다. 제철 산업이 발달한 중화학공업도시로 육로, 철로, 항공 교통이 발달하였으며, 포스코 본사와 포항공과대학교 등 첨단 과학 도시로 발돋움하기 위한 연구소가 많다. 구룡포 과메기와 대게, 물회 등의 수산물이 유명하다. 호미곶은 한반도에서 가장 먼저 해가 뜨는 곳으로 매년 12월 31일부터 1월 1일까지 호미곶 한민족 해맞이 축진이 열리며, 7월 말부터 8월 초에는 포항 국제 불빛 축제, 11월 포항 구룡포 과메기 축제가 열린다. 포항여객선터미널을 이용하여 울릉도에 갈 수 있다.

서울에서 포항까지 접근성

 센트럴시티터미널에서 포항행 고속버스 이용 시 소요시간 4시간 40분. 동서울터미널에서 포항행 시외버스 이용 시 소요시간 4시간 30분.

 서울역에서 포항역 새마을호 이용 시 소요시간 5시간 20분. 서울역에서 신경주역 KTX 이용 시 소요시간 2시간 10분. 신경주역에서 포항행 시외버스 소요시간 40분.

 자가용 이용 시 서울에서 4시간 거리.

 김포공항에서 포항공항으로 아시아나항공 또는 대한항공 이용 시 소요시간 50분.

사진 김선애

글
이국운

포항에서 서울로,
길 위에서 만난 지역의 삶

1999년 2월 말 나는 가족과 함께 서울을 떠나 경상북도 포항시로 이주했다. 이주의 목적은 전적으로 취업 때문이었다. 기독교계 신생 사립대학으로 1995년에 개교한 한동대학교는 1998년부터 법학교육 프로그램을 시작했는데, 이 프로그램의 전임교수로 선발되어 포항으로 내려오게 되었다. 그때부터 15년 동안 한동대학교 법학부에서 학생들을 가르쳤다. 이 직장은 내가 1998년 8월 말 박사학위를 받은 뒤, 전임교수로 자리 잡은 첫 직장이었고, 현재로선 마지막 직장이기도 하다. 법학부 재학생들과 졸업생들에게 나는 때때로 이 첫 직장과 내 자신이 맺어온 관계를 순정을 바친 첫사랑 연인들에 비유해서 말하곤 한다. 돌이켜 보면 지난 시간 동안 많은 일들이 일어났고 그 중에는 크고 작은 성취도 있었지만, 처음 한동대로 오겠다고 결심했을 때는 무한히 열린 가능성을 제외하고는 안정된 삶의 조건을 하나도 찾기 어려웠다. 그럼에도 이곳에 오기로 결정했고, 그 후 일관되게 내가 선택한 삶의 연장선에서 살아왔다. 첫 직장이자 마지막 직장이 될 한동대학교 법학부에 대하여 내가 갖는 느낌은 그만큼 각별하고 또 애틋하다.

지역 사회의 일원으로 정착하지 못한 나의 삶

직장 이야기로 글머리를 잡은 까닭은 그 직장의 소재지인 포항에 대한 내 느낌이 사뭇 다르다는 것을 강조하고 싶었기 때문이다. 사실 15년 전 서울을 떠날 때만 해도 한동대학교 법학부에 취직한다는 생각에 압도되어 포항으로 이주한다는 생각은 거의 하지 못했다. 심지어 부임 이후 3년이 흐를 때까지도 스스로 포항 사회의 일원이 되었다는 느낌 자체를 거의 갖지 못했다. 학교에서 학생들을 가르치고 연구하는 것, 전공 분야를 중심으로 한국 사회의 공론에 참여하는 것에 대하여 게으른 적은 없었다.

하지만 법학교수로서의 그러한 삶이 내가 속한 공간인 포항 사회와 어떤 연계점을 갖고 있는지 별다른 감흥이 없었다. 로칼리티 locality에 대한 감각이 없으니, 내 삶이 포항 사회와 어떻게 관련되어야 하는지에 대해서도 특별한 입장이나 견해를 발전시키지 못했다.

그러다가 어떤 계기 때문에 지역 사회와의 연계 없이 공중에 붕떠 있는 내 처지를 심각한 문제로 인식하게 되었다. 포항 살이 7년째에 접어든 2005년 어느 봄날이었다. 나는 그때 처음으로 어쩌면 이곳에 평생 있게 될지도 모른다는 생각에 마음이 조금 힘들었다. 그러다 문득 7년 동안 포항에서 살아온 내 삶과 안해^{아내의 옛말}의 삶을 비교해 본 일이 있었다. 로칼리티의 관점에서 평가할 때, 그 비교의 결과는 솔직히 부끄럽기 짝이 없었다.

육아의 짐을 나누며 지역 주부 공동체와 함께한 안해의 삶

15년 전 포항에 올 때, 안해와 나 사이에는 세 살 먹은 사내 아이 하나만 있었다. 그러다 포항에 온 지 얼마 안 되어 둘째 딸아이가 태어났고, 2003년에는 전혀 예상하지 못한 아들 쌍둥이가 세상에 나왔다. 당연히 우리 가족에게는 이 네 아이에 대한 육아가 무엇보다 긴절한 일상의 과제가 되었다. 하지만 포항은 물론이려니와 경상도 전체를 통틀어도, 우리에겐 단 한 명의 가족이나 친척도 없었기에 친족 공동체의 도움은 전혀 바랄 수 없었다. 나이 어린 네 아이(안해는 농담반 진담반으로 다섯 아이라고 하기도 한다.)를 돌보고 기르는 부담은 고스란히 안해의 몫이었다.

이와 같은 위기 상황에서 안해는 의연하게 대처했다. 일단 살림살이에 관련된 모든 육체적, 정신적 부담을 스스로 감당했다. 하지만 실제 아이들을 키우다보면 혼자 해결할 수 없는 일들이 너무도 많았다. 내가 도울 수 있으면 좋겠지만, 학교 일에 바쁘거나 어쩌다 출장이라도 가게 되면, 소소하나마 외부의 도움이 절실하게 필요한 상황이 계속되곤 했다. 바로 이때 네 아이의 임신, 출산, 육아, 양육의 과정에서 자연스럽게 만나게 된 지역의 주부 공동체가 큰 도움을 주었다. 아이가 넷이나 되는 까닭에, 단지 임신에서 양육에 이르는 과정만으로도 아주 가까운 공간에서부터 복수의 연줄망이 만들어졌다. 그리고 그 연줄망들이 겹쳐지면서 안해의 공간은 얼마 지나지 않아 끝없는 수다와 품앗이를 통해 그 연줄망들 사이의 교차 접속이 이루어지는 희한한 장소로 바뀌기 시작했다. 큰 아이가 지역의 초등학교에 진학하면서부터는 비록 작은 규모지만 공동체라고 부를 수 있는 네트워크도 형성되기 시작했다.

가만히 들여다보면, 임신, 출산, 육아, 양육, 그리고 교육으로 이어지는 안해의 주부 공동체는 일상의 삶이 요구하는 구체적인 정보, 물건, 노동, 위로 등을 대단히 효과적으로 분배하는 특징을 지니고 있었다. 이 주부 공동체는 끝없는 수다와 품앗이를 동반하는 수많은 작은 모임들을 함께 만들었고, 이를 통해 벌어지는 사태들을 세밀하게 평가, 조율하면서 최적의 조건으로 최적의 교환을 성사시키는 놀라운 위력을 계속 발산했다.

부득이한 집안 사정 때문에 한 때 안해는 약 3년 간 아이들과 함께 시댁이 있는 대전에서 생활해야 했다. 안해가 다시 포항으로 내려오게 되었을 때, 나는 내심 과거에 형성되었던 지역의 주부 공동체가 부활할 수 있을지를 염려했다. 그러나 웬걸, 포항으로 복귀한 지 채 3개월도 안 되어 안해는 과거의 주부 공동체를 다시 활성화한 것도 모자라 대전에서 경험한 구체적인 정보들을 나누는 한편, 비교분석에 입각하여 육아와 교육 관련 컨설팅을 제공하는 역할까지 담당하는 저력을 발휘했다. 주부들의 연대는 실로 막강했다.

로칼리티의 관점에서 안해의 삶과 내 자신의 삶에 대한 단적인 비교는 지금도 동네 슈퍼마켓에 장을 보러 갈 때마다 아주 극적인 대비를 이루곤 한다. 가는 길과 오는 길, 장을 보는 와중에도 안해는 주위에 오가는 많은 동네 아주머니들과 눈인사를 주고받거나,

한두 마디 정보를 나누는 일로 바쁘다. 그 뒤에서 나는 대개 장바구니를 든 채로 뻘쭘하게 서 있다가, 그나마 조금 낯익은 아주머니들과 어색하게 인사를 나눈다. 이처럼 안해는 쉴 새 없이 시야에 등장하는 사람들과 소소한 정보들을 속삭이곤 하는데, 흥미로운 것은 그렇게 얻은 정보들이 어느새 내게도 중요한 판단기준이 되어버린다는 점이다. 이를테면, 어떤 미장원에 가서 머리를 깎을지, 어떤 중국집에 자장면을 시킬지 정해야 할 때, 내 안에 있는 어떤 익숙함의 연원을 추적하면 어김없이 장 보러 오가는 길에 안해에게 들었던 이야기들을 만나게 된다.

공중에 붕 뜬 것처럼 공론(空論)만 되풀이하는 것은 아닌가

이처럼 주부 공동체의 중심인물이 된 안해와 달리, 나는 아직도 포항 사회의 가장자리에서 겉돌고 있는 느낌이다. 물론 지난 15년 동안 내가 아무 일도 하지 않은 것은 아니다. 지역 교회에도 오래 출석했고, 대표적인 시민단체인 포항 YMCA에서 임원으로 애쓰기도 했으며, 포항시 북구의 선거관리위원으로서 국회의원 총선거를 치르기도 했다. 전공 분야의 전문성을 발휘하여 포항시의 몇몇 위원회에 참여하기도 했고, 포항 MBC가 진행하는 TV토론 프로그램의 사회자를 몇 년 동안 맡기도 했다. 그러나 로칼리티의 관점에서 나의 이와 같은 활동은 솔직히 포항이라는 삶의 현장에 깊이 뿌리내린 결과로 평가하기는 어렵다. 그저 그때그때 제기되는 지역사회의 필요에 최소한으로 부응한 정도에 불과한 것이라면 모를까?

물론 이와 같은 모습은 내 경우에만 국한되지 않을 것이다. 지금 대한민국에서 40대 후반의 지식인들 중 누구를 붙잡고 묻더라도, 지역 사회에 확실히 뿌리를 내리고 있는 사람을 발견하기란 쉽지 않기 때문이다. 그러나 한 사회의 지식인들 대다수가 로칼리티를 잃고 공중에 붕 뜬 것처럼 지내고 있다면, 이는 그 자체로서 커다란 문제가 아닐 수 없다. 공중에 붕 뜬 지식인들이 만드는 담론은 당연히 공중에 붕 뜨게 될 것이고, 그러한 공론(空論)을 공론(公論)으로 전제하는 한, 그 사회의 의사결정은 결코 공동체 삶의 실제를 반영할 수 없을 것이기 때문이다. 그렇다면 이와 같은 공론(空論)의 폐해에도 불구하고 지금 한국 사회의 지식인들이 그로부터 헤어 나오지 못하는 것은 무엇 때문일까?

약간 엉뚱하게 들릴지도 모르지만, 나는 이러한 맥락에서 핵심 질문을 던지고 싶다. 서울을 떠난 지 15년이 되도록 여전히 공중에 붕 뜬 것처럼 지내고 있는 내 공간적 정체성은 무엇일까? 포항에 있지도 못하고, 서울에 있지도 못한, 포항에 소속되지도 못하고, 서울에 소속되지도 못한, 내 자신은 도대체 어떠한 공간의 토대 위에서 정체성을 구성하고 있는 것일까?

'비록 작은 규모지만 그 나름의 공동체 속에서 살아가는 안해와 비교할 때, 나는 도대체 어디서 살아온 것일까?'

이 질문의 답변으로 하나의 영상이 뚜렷하게 떠오른다. 끝없이 포항에서 서울을 왕복하는 모습, 포항에서는 서울에 올라가기 바쁘고 서울에서는 포항으로 내려가기 바쁜 내 자신의 모습이다. 늘 포항에서 서울을 오가는 길 위에 있는 이 모습보다 더 나의 공간 정체성을 잘 표현하는 것이 있을까?

포항에서 서울로, 길 위에서 보낸 15년

내가 포항에서 서울에 가는 목적은 거의 정해져 있다. 학교 일로 가야 하는 출장을 제외하면, 대체로 학회에서 발표나 토론을 하고, 다른 대학이나 관공서 등지에서 특강을 하거나, 오래 몸 담아온 시민단체의 행사에서 순서를 담당하는 것 등이다. 자주 있는 일은 아니지만, 방송에 출연하는 일도 있고, 정부 부처나 국회에서 열리는 회의에 참석하는 경우도 있다. 달리 말해, 포항에서 서울을 다니는 목적은 대부분 한국 사회의 공론장에 참여하기 위해서이고, 그 속에서 누군가를 또는 무언가를 대변하기 위해서이다. 순전히 개인 목적만으로 서울에 가는 일은 거의 없다.

이처럼 공적인 목적으로 포항에서 서울을 다니는 까닭은 한국 사회의 공론장이 서울 중심으로 편중되어 있기 때문이다. 학회도 그렇고, 정부도 그렇고, 정당이나 언론, 시민단체도 마찬가지이다. 따라서 헌법과 법사회학을 전공하는 지식인이 공론에 참여하기 위하여 끊임없이 포항에서 서울을 오가야 하는 것은 당연한 결과일 것이다. 그렇다면 문제의 핵심은 뻔질나게 서울을 오가는 것 그 자체가 아니라 오히려 그 과정에서 로칼리티를 잃고 공중에 붕 뜨게 될 수 있다는 것, 또 그리하여 결국 공론(公論)이 아니라 공론(空論)에 빠지게 될 수 있다는 것이 아닐까? 이와 같은 생각은 지난 15년 동안 포항에서 서울을 다닌 내게 비수처럼, 날카로운 질문으로 다가온다. 그렇다면 도대체 내게 공동체 삶의 실제란 무엇일까? 도대체 그것이 존재하기는 하는가? 존재한다면 어디에 어떤 형태로 존재한단 말인가?

앞서 언급했듯이, 이 질문에 대하여 찾아낸 답변은 끝없이 포항에서 서울을 왕복하는 내 자신의 모습이다. 포항에서는 서울에 올라가기 바쁘고, 서울에서는 포항으로 내려가기 바쁘다. 이제 나는 지난 15년 동안 내 공간 정체성을 구성해 온, 포항에서 서울 다니는 이야기를 간략하게나마 회고하려 한다.

포항에서 서울까지는 편도로 약 400킬로미터가 조금 못 되는 거리이다. 왕복으로 750킬로미터 정도니까 자주 오갈 수 있는 거리는 아니다. 처음 포항에 내려왔을 때, 나는 대중교통을 몇 번 갈아타야 하는 불편이 싫어 두어 번 자동차를 몰고 서울을 왕복한 적이 있었다. 그러나 곧 이 방식을 그만 두었는데, 그 이유는 첫째로 왕복 10시간 넘게 운전을 하는 것이 너무 힘들었고, 둘째로 대전 이북으로 가면 고속도로가 수시로 막혀 약속 시간을 지킬 수 없었으며, 셋째로 내가 모는 중고 자동차에 큰 부담이 되었기 때문이다.

그래서 그 다음엔 서울의 목적지가 어디냐에 따라, 강남에 갈 경우엔 고속버스를 타고, 강북에 갈 경우엔 하루에 두 번 포항과 서울을 운행하는 새마을호 열차를 이용했다. 이 두 경우 모두 편도에 5시간 정도가 걸렸는데, 특히 기차를 탈 경우에는 한 가지 큰 유익이 있었다. 오랜만에 기차 속에서 못 읽은 책들을 독파할 수 있었던 것이다. 가끔 지방 대학에 오래 계신 교수들 가운데 진정한 고수를 만날 때가 있는데, 나는 그 이유가 생각보다 단순한 곳에 있다고 본다. 매 시간 각종 연락에 시달리는 서울의 교수들과 달리, 이 고수들은 서울을 오가는 기차 속에서 아무런 방해 없이 독서하는 시간을 확보할 수 있다는 것. 그것이 그들을 고수로 만든 비밀이라고 생각한다. 나 역시 포항과 서울을 오가는 새마을호 기차 속에서 많은 책들을 읽을 수 있었다. 하지만 이러한 유익을 누리는 것은 서울에 올라가는 기차 속에서나 가능했다. 포항으로 내려오는 기차에서는 여러 일정을 마치고 파김치가 되어 책을 들고 있어도 줄곧 졸 수 밖에 없었기 때문이다.

여기에 대중교통을 이용하여 포항으로 내려올 때는 늘 스트레스를 받게 만드는 일이 있었다. 당시에는 포항과 동대구를 잇는 고속도로가 개통되기 전이어서, 고속버스를 탈 경우에는 경부고속도로로 영천까지 온 뒤 다시 국도로 나와 안강을 지나서 포항으로 와야 했는데, 이 국도를 거치는 과정에서 시간이 너무 많이 걸렸다. 특히 영천 시내를 우회하는 도로가 생기기 전까지는, 한 번 길이 막히면 도대체 언제 뚫릴지 알 수 없는 상황이 다반사로 벌어지곤 했다. 서울에서 포항으로 내려오다가 동대구쯤 오게 되면 누구든 거의 다 왔다고 생각하게 마련인데, 그 다음부터 도로가 막혀 고속버스 안에서 몇 시간을 갇히면 정말 울화통이 터지곤 했다.

그래도 고속버스를 탈 때는 길이 막히지 않는 행운이라도 바랄 수 있었지만 포항으로 내려올 때 새마을호를 타면, 아예 속 터지는 것을 처음부터 각오하는 수밖에 없었다. 서울발 포항행 새마을호는 서울에서 동대구까지 오는 시간보다 동대구에서 포항까지 오는 시간이 훨씬 더 걸렸다. 왜냐하면 동대구부터는 단선 철길이어서 아무리 새마을호라고 하더라도 제 속도를 낼 수가 없었기 때문이다. 2000년 무렵으로 기억되는데, 철도청에서 기지를 발휘하여 울산에서 서울 가는 새마을호와 포항 출발, 서울행 새마을호를 붙여서 운행하기 시작했다. 덕분에 서울을 오가는 새마을호가 하루 네 번으로 늘어 편리하긴 했지만, 특히 내려올 때는 기분이 확 잡치기 일쑤였다. 포항행 새마을호가 느릿느릿 경주역에 도착하여 울산행 새마을호와 분리되고 나면, 갑자기 후진을 시작하여 그대로 포항역까지 진행했고, 그렇게 뒤로 달리는 기차를 타고 포항역에 도착하고 나면, 내가 사는 포항이 대한민국에서 가장 후미진 곳이라는 깊은 상념에 젖지 않을 수 없었다.

최선의 수단, 비행기와 KTX로 갈아타기

이렇게 여러 경로를 다 이용하다가 포항에 내려온 지 2년이 지난 뒤 부터 나는 비행기가 제일 낫다는 결론에 도달했다. 초짜 교수의 월급으로 감당하기에는 비용이 크게 부담스러웠지만 그래도 시간만 잘 맞추면 당일로 서울에 다녀오는 것이 가능했고, 무엇보다 체력 소모를 크게 줄일 수 있었다. 그래서 어떤 형태든 비용을 보전할 수 있을 때는 비행기를 타기로 했는데, 나와 같은 생각을 가진 사람들이 많았는지, 당시 포항공항에는 평일에도 서울을 오가는 비행기가 스물 네다섯 편이 될 정도로 이용객이 폭증했다.

그러나 비행기 역시 늘 편하지만은 않았는데 포항 공항이 해변에 붙어 있는 까닭에 전국에서 가장 결항이 잦다는 결정적인 위험 변수를 갖고 있었다. 비행기의 결항 때문에 나는 공영방송의 TV토론 프로그램에 출연을 약속했다가 올라가지 못한 적도 있었고, 가장 가까운 인근 공항인 울산 공항까지 총알택시를 타고 이동한 적도 여러 번 있었으며, 김포공항에서 포항행 비행기를 하염없이 기다리면서 지금은 고인이 되신 한동대학교의 박을용 전 부총장님과 하루 종일 담소를 나눈 적도 있었다.

비행기를 이용하면서 생긴 또 다른 어려움은 마지막 비행기를 타려면 아무리 늦어도 오후 7시까지는 김포공항에 도착해야 하는 점이었다. 이 때문에 그 전에 비해서 서울 시내에서 해야 할 일을 제대로 마치지 못하는 경우가 많았다. 예를 들어, 학회 자리에서는 비행기 시간에 맞추느라 대개 5시 반쯤 시작되는 종합토론은 물론이려니와 심지어는 마지막 발표마저 제대로 못 듣고 나올 수밖에 없었다.

이런 이유로 비행기를 이용하기 시작한 뒤부터는 아예 서울에서 숙박을 하고 다음 날 아침 첫 비행기로 포항에 내려오는 일이 점점 많아졌다. 그러면 당연히 숙박비용이 추가로 발생했는데, 빠듯한 재정 형편에는 큰 부담이 아닐 수 없었다. 숙박비용을 아끼기 위해서, 나는 당시 동작구 상도동에 신접살림을 차렸던 여동생의 집에서 자주 신세를 졌고, 나중에는 산업디자인을 전공하는 매제의 공부방을 마치 나의 서울 연구실이라도 되는 듯 사용하기도 했다. 만약 그때 여동생네가 서울에 없었다면, 나는 그로부터 몇 년 뒤 매제가 지방 대학에 자리를 잡아 서울을 떠나게 된 뒤 그랬듯이, 김포공항으로 이어지는 5호선 지하철역 인근의 여관방이나 찜질방을 전전할 수밖에 없었을 것이다.

대한민국의 지방 대학 교수라면 누구나 다 절감하는 일이겠지만, 2004년 4월부터 KTX가 개통되자 포항에서 서울을 다니는 풍속도가 많이 바뀌었다. 더구나 그 해 말에는 포항과 동대구를 잇는 고속도로까지 개통되어 시간만 잘 맞추면 3시간 정도에도 포항에서 출발하여 서울역에 도착하는 것이 가능해졌다. 비용의 측면에서도 비행기를 이용할 때보다 거의 40퍼센트 정도 절감되었다.

이렇게 되자, 지금까지와는 전혀 다른 차원의 문제가 발생했다. 그것은 바로 서울에 너무 자주 가게 된다는 것이었다. 물론 포항에서 출발하면 1시간 넘게 자동차로 동대구역에 가서 다시 KTX로 갈아타야 하니까 그렇게 편리한 상경 길은 아니었다. 그러나 불과 몇 년 전까지 영천 못 미쳐 국도에서 몇 시간을 고속버스에 갇혀 있기도 하고, 갑자기 후진하는 포항행 새마을호 열차에 황당해

하기도 하며, 감당하기 어려운 비행기 요금에 속 끓이던 것에 비하면, KTX가 생긴 것은 대단한 호사임에 틀림없었다. 그래서 그 뒤로 한동안 나는 과거 같으면 가지 못했을 모임들에도 얼굴을 내밀었고, 동대구역 주변 동네에 자동차를 세워 놓을 만한 골목들의 지리에도 익숙해졌으며, 자정 넘어 동대구에서 포항으로 자동차를 몰고 오면서 심야방송을 듣는 재미도 알게 되었다. 서울역에서 막차를 타고 동대구역으로 내려와 다시 자동차를 몰고 포항에 돌아오면 대개 새벽 2시 전까지 집에 도착할 수 있었다.

2010년 10월 포항에서 좀 더 가까운 신경주역에서도 KTX가 다니기 시작하자 서울 다니는 길은 더욱 간편해졌다. 예정대로 동해남부선 철길이 새로 놓여 2014년에 KTX가 포항까지 들어오게 되면, 중간에 갈아타는 불편 없이 서울을 오가는 일이 가능해질 것이다.

항상 홀로였던 750킬로미터의 긴 여정

이처럼 끝없이 포항과 서울을 오고갔던 경험들이 내 공간 정체성을 이룬 토대가 되었다. 그렇다면 이 이야기는 로칼리티에 뿌리를 내린 안해의 공동체에 기반을 둔 지역 정체성과 비교할 때 어떠한 특징을 지니고 있을까? 두 가지 특징을 말하고 싶다.

무엇보다 도드라진 것은 어떤 외로움, 또는 홀로 있음이다. 지난 15년 동안 내가 포항에서 서울을 오간 경로는 계속해서 변화해왔다. 그러나 어떤 경우든 그 이야기는 뚜렷한 공통점을 갖고 있었는데, 그것은 바로 항상 나 혼자 다녔다는 점이다. 때로는 서울을 오가는 데 동행이 있기도 했지만, 이는 어디까지나 우연한 일에 불과했다. 우연한 동행은 오래 가지 못했고, 늘 혼자 왕복 750킬로미터가 되는 길을 오가야만 했다. 물론 이 외로움 또는 홀로 있음은 때때로 축복이 되기도 했다. 오가는 길에서 내가 읽었던 책들, 그 속에서 만났던 선배 학자들, 그들의 가르침과 내 깨달음, 그리고 무엇보다 그 시간을 채운 깊은 묵상과 기도들은 무엇과도 바꿀 수 없는 소중한 추억이기도 하다. 그러나 그럼에도 불구하고 그 모든 것들은 홀로 오랜 시간을 오가야 했던 외로움에서 비롯된 것은 아니었을까? 같은 기간 안해가 포항 사회 안에서 만들어낸 주부 공동체에 비하여 내 공간 정체성은 이처럼 근본적으로 '홀로 주체'에 기초하고 있었던 것이다.

또 한 가지 안해와의 비교를 통해 얻을 수 있는 차이는 이야기에 관한 것이다. 앞에서 간략히 회고한 포항에서 서울 다니는 이야기는 어디까지나 내 자신의 이야기일 뿐이다. 아무리 추억이 깊더라도 그것은 외로움에서 또 홀로 있음에 비롯된 나만의 이야기일 뿐이다. 그 속에는 함께 나눌 청중도 없고, 자신의 이야기를 들려주고자 하는 다른 사람들도 없다. 포항에서 서울을 오가는 길에 만나는 사람들은 모두 그들의 이야기를 알 수 없는 익명의 얼굴들일 뿐이다. 그러므로 이 이야기는 개인의 이야기이지 공동체의 이야기가 아니다.

오늘도 각 지역에서 서울을 오가는 많은 지식인들이 이 글에서

토로한 내 이야기에 공감하는 부분이 많을 거라 생각하지만 그러한 공감이 순간적인 동조를 넘어서서 공동체의 이야기를 엮어갈 만한 집단적 삶의 에너지가 될 수 있을까? 솔직히 회의적이다. 각 지역에서 서울을 다니는 모습들 말고, 이 지식인들을 '서로 주체'로 엮어낼 공간 정체성의 토대가 아직 내게는 잘 보이지 않기 때문이다.

포스트모던 사회가 되면서 정처 없이 세상을 떠도는 노마디즘 nomadism의 사유를 말하는 사람이 많아졌다. 그러나 사유가 아니라 삶으로 이해할 때, 노마디즘은 홀로 주체의 공중에 붕 뜬 모험이라기보다는 서로주체의 수다스런 이야기이다. 고백컨대, 포항에서 서울 다니기 15년을 회고하는 나 자신은 마치 씁쓸한 독백을 마무리한 것과 같은 상태가 되고 말았다. 그렇다면 이처럼 공동체를 만들기 어려운 홀로 주체의 서울 다니는 이야기를 나는 과연 언제까지 계속해야 할까?

처음 포항에 왔을 때 나는 학생들과 '3대3' 길거리 농구도 할 줄 아는 30대 초반이었다. 그러나 지금은 딸아이가 D형 몸매라고 놀릴 만큼 배 나온 중년 아저씨의 모습이 되었다. 체력이 전 같지 않아 길거리 농구를 그만둔 지는 오래되었고, 서울에 오르내리는 일도 갈수록 힘에 부치는 느낌이다. 어쩌다 한 번이지만, 요즘은 아예 서울 다니는 일을 과감하게 접고 본격적으로 은둔거사 노릇을 해 볼까 하는 생각을 하기도 한다. 그렇지만 예상컨대, 나는 앞으로도 한동안 포항에서 서울을 열심히 오르내리게 될 것이다. 왜일까?

세 살 때 포항에 온 큰 아이가 어느새 고3이 되었다. 내년이면 대학에 진학할 텐데, 가능하면 우리는 서울로 대학을 보내려고 한다. 포항에도 좋은 대학들이 있고, 내 아이를 내가 직접 가르쳐 보고 싶은 생각이 없는 것도 아니지만, 그래도 아이의 장래를 위해서는 "본토, 친척, 아비 집을 떠나, 갈 바를 모르고 나아가는" 경험을 하게 하는 것이 더 도움이 되리라 믿기 때문이다. 다만, 30년 전 내가 고향 대전을 떠나 서울에 올라 갈 때처럼, 단지 서울이 대한민국의 중심이기 때문에 보내는 것으로 생각하지는 말았으면 좋겠다. 오히려 집이라는 안락한 울타리를 떠나 한 번쯤은 거대 도시들의 네트워크에 들어가서, 더 많은 사람들을 만나고 더 많은 것들을 보고, 더 많은 일들을 겪어보겠다는 느낌으로, 아니 좀 더 힘 있게 말하면, '한 판 제대로 붙어 보겠다'는 심정으로 서울에 갔으면 하는 바람이다. 이러한 기대가 이루어진다면, 내년부터 나는 포항에서 서울을 오가는 길에 그 동안에는 전혀 수행하지 못했던 새로운 임무를 부여 받게 될 것이다. 포항 이야기를 서울에 전하고, 서울 이야기를 포항에 전하는 메신저의 임무 말이다.

이국운

48, 한동대 법학과 교수
헌법과 법사회학 전공

1966년 대전 출생으로 고등학교 졸업 후에는 서울에서 생활했다. 박사학위를 받은 뒤 경상북도 포항으로 이주하여 한동대학교 법학부에서 헌법, 법사회학, 기독교 정치사상 등을 가르치고 있다. 사법개혁운동과 지방분권운동에 적극적으로 참여해 왔으며, 최근에는 대한민국 헌법전을 타자의 윤리에 기초하여 읽어내는 작업에 관심을 기울이고 있다. 주요 저작으로는 <헌법>, <법률가의 탄생_사법불신의 기원을 찾아서>, <민주공화국의 탈 권력적 정당화> 등이 있다. 서울의 한 지역 교회에서 만난 안해 류선과의 사이에 1녀3남을 두었으며, 영일만이 보이는 포항의 바닷가에서 15년째 살고 있다.

경상남도 지역 정보

8시 10군의 행정구역이 있다. 우리나라 동남단에 위치하여 남쪽으로는 바다, 서쪽은 소백산맥, 동쪽은 태백산맥에 접하고 있다. 바다와 산맥이 겨울의 찬 서북풍을 막아주어 온화한 기후이다. 낙동강이 흐르는 김해는 삼각주 평야를 이루고 있으며 남해안은 크고 작은 섬이 산재하는 다도해를 이룬다. 산청, 함양, 하동을 지나는 지리산 둘레길과 남해, 거제, 통영의 바다와 섬의 인기가 높아 관광객이 많이 찾는다. 합천 해인사의 팔만대장경 등 문화재와 가야 문화가 잘 보전되어 있어서 4월이면 김해에서 가야문화축제가 열리고 창녕에서는 우포늪과 부곡 온천에서 생태 교육과 휴양을 즐길 수 있다. 3월 진해군항제, 10월에 열리는 진주개천 예술제의 남강유등축제 등 축제와 관광지가 풍부하다.

정은영 씨가 정착한 통영시

1읍 6면 11동의 행정구역이 있다. 삼면이 바다로 둘러싸여 있고 소매물도, 한산도, 외도 등 526개의 부속도서(유인도 44, 무인도 482)로 구성되어 있다. 농촌과 어촌이 조화를 이룬 항구도시로 아름다운 경관을 자랑하며 '동양의 나폴리'라 불린다. 겨울엔 따뜻하고 여름은 비교적 시원한 편으로 연교차가 적고 강우량이 높으며 태풍의 영향을 받는다. 김춘수, 박경리, 유치환, 윤이상, 전혁림 등 예술 문화인을 많이 배출한 예향의 도시이며 대전-통영 고속도로의 개통으로 접근성이 높아진 이후 관광을 겸한 예술인의 흔적을 찾는 여행으로 방문객이 늘고 있다. 욕지도의 해풍을 맞고 자란 고구마와 귤, 유자, 비파와 같은 아열대 작물, 멸치, 굴, 멍게 등의 신선한 해산물이 많이 나온다. 매년 3월부터 작곡가 윤이상을 추모하는 통영 국제음악제, 이순신 장군의 한산대첩을 재현하는 한산대첩축제 등이 열린다.

서울에서 통영까지 접근성

 센트럴시티터미널에서 통영행 고속버스 이용 시 소요시간 4시간 10분. 남부터미널에서 통영행 시외버스 이용 시 소요시간 4시간 10분.

 김포공항에서 진주 사천공항 하루 2회 대한항공 이용 시 소요시간 50분. 사천공항에서 통영까지 택시나 자가용으로 50분.

 자가용 이용 시 서울에서 4시간 30분 거리.

사진_정환정

글
정은영

통영에서
출판사를 한다고요?

"왜 통영을 선택했어요?"

우리가 통영으로 내려와서 서울의 오랜 친구들에게, 그리고 통영의 새로운 이웃들에게 가장 많이 들었던 질문이다. 서울을 떠나서 새로운 지역으로 옮기고 싶을 때 누구나 쉽게 떠올릴 수 있는 제주도나 강원도, 경기 인근이 아니라 경남 저 멀리 땅 끝에 자리한 통영이라는 작은 도시를 선택한 우리를 많은 사람들은 신기한 눈으로 바라보았다. 그리고 궁금해 했다. 무엇이 우리를 이곳 통영으로 이끌었는지.

멈추지 않는 다람쥐 열차에서 보낸 서울 살이

아직 쌀쌀했던 어느 봄날, 비행기를 타고 사천공항에 내려 마중 온 남편의 차를 타고 통영으로 들어설 때의 느낌이 아직도 생생하다. 그때 내 나이는 불혹의 나이를 한 해 앞둔 서른아홉이었다. 한창 아름답게 피어야 할 인생의 황금기에 몸과 마음은 지칠 대로 지쳐서 내 육신 하나 가눌 힘이 없을 만큼 진이 다 빠져 있었다.

서울에서 나고 자라 보낸 서른여덟 해 동안 정말 바쁘게 달려왔고, 서울에서 직장생활을 해 온 많은 사람들이 그러하듯 멈추지 않는 다람쥐 열차를 타고 쉼 없이 페달을 밟으며 그렇게 숨 가쁘게 살아왔다. 대학 졸업장을 손에 쥐기도 전에 취직부터 했고, 그 이후 15년 동안, 결혼하고 석 달의 짧은 휴식을 제외하고 계속 일을 했다. 지금 와서 돌아보면 왜 그렇게 쉬지 않고 일을 했는지 스스로도 이해하기 어려울 때가 있다. 휴학이라는 것도, 해외여행이나 재충전의 시간도 없이 여러 회사를 다녔고, 퇴사 후 바로 그 다음 주에 새로운 회사에 출근을 하면서 그렇게 쉼 없이 젊은 시절을 보냈다. 그렇게 전쟁처럼 보낸 이삼십 대의 특훈 덕분에 나는 남보다 이른 서른셋의 나이에 창업을 했고, 그 이후 7년은 그간의 사회생활을 비웃기라도 하듯 더 혹독한 강행군의 연속이었다. 이대 앞 작은 옥탑 방에서 시작한 첫 창업은 홍대 앞으로 옮기면서 본격화 되었고, 갑을전쟁의 포화 속에서 을로 사는 법을 체질화하며 회사를 운영했다.

창업을 하고 만 2년이 흐른 어느 날 나는 클라이언트 인터뷰 도중에 실신했고 응급실로 실려 갔다. 몸을 돌보지 않고, 끼니도 제대로 챙겨 먹지 않으면서 정말 미친 듯이 일만 했던 어리석은 삶에 내 몸과 마음은 백기를 들었고, 그때부터 넉 달간 병원과 집을 오가며 투병 생활을 해야 했다. 병원에 가도 특이한 질병소견은 나오지 않았고 오랜 과로와 만성피로, 그리고 끼니를 제대로 충분히 챙겨먹지 않는 불규칙한 식생활과 운동 부족으로 극도의 영양실조까지 겹쳐 몸은 그야말로 만신창이였다.

처음 쓰러지고 나서 나는 마치 출산한 산모처럼 하루 예닐곱 끼의 식사를 해야 했다. 채워지지 않는 허기와 저혈당증으로 늘 먹을 것을 손에서 놓지 못했고, 병원에서는 골수의 영양소까지 다 빠져나갈 정도로 몸의 영양상태가 안 좋은 탓이라며 끌끌 혀를 내둘렀다. 그렇게 힘겨운 시간들을 버텨내자 몸은 서서히 회복되었고, 운동과 섭생을 중심으로 한 재활치료가 어느 정도 내 몸을 정상인의 범주에 올려놓자 나는 다시 회사에 복귀하여 그간의 못다 한 책임을 완수하기 위해 다시 정신없이 예전의 생활을 반복했다.

돌아보면 그때 이미 마음 깊은 곳에는 그러한 시간들을 멈추고 싶은 의지가 있었지만 삶을 바꿀 만큼 강력하지는 못했기에 다시금 옛 생활로 돌아갈 수밖에 없었다. 그리고 책임감을 방패삼아 완전히 회복이 되지 않은 상태에서 한약을 달고 살면서 야근과 주말근무를 반복했고, 그렇게 미련을 떤 덕분에 회사는 어느 정도 안정괘도에 올라섰지만 2010년 가을 나는 다시 쓰러지고 말았다. 창업하고 만 6년이 지난 시점이었다.

다르게 살기 위한 방법, 서울 탈출

"이제 더 이상은 안 되겠어. 당신 지금 당장 회사 그만두고, 우리 공기 좋은 데 내려가서 살자. 회사도 중요하지만 사람부터 살아야지. 안 그래?"

두 번째 쓰러지자 결혼하고 늘 내 의견을 존중해주던 남편의 태도는 완강했다. 쓰러지고 일어서기를 반복하며 일만 하는 미련하고 어리석은 아내를 보다 못한 남편은 퇴사를 강요했고, 나는 그때 너무 지쳐서 그의 권유를 심각하게 고려하지 않을 수 없었다. 그러나 그간 힘들게 이뤄놓은 사업 기반을 모두 놓아버린다는 게 결코 쉽지 않은 일이었기에 파트너와 오랜 논의 끝에 1년의 안식년을 갖는 것으로 결정했다. 그리고 우리는 어느 곳에서 그 시간을 보낼 것인지 고민을 시작했다.

서른여덟 해 동안 처음 갖는 1년의 휴식을 앞둔 나는 가슴이 설레었고, 어쩌면 지금의 선택이 그간의 내 고질병이었던 미련한 삶의 방식을 바꾸는 계기가 될지도 모른다는 생각을 했다. 결혼 초 예기치 않은 남편 직장의 경영난으로 생계를 위해 시작한 사업이라 더 일에 몰두해서 지치고 피곤한 삶을 살아왔지만 나 또한 그러한 삶의 고리를 끊어내고 싶었다. 그러나 다르게 사는 방법을 알지 못했던 나는 서울을 벗어난다면 어쩌면 그 변화가 가능할지도 모른다는 막연한 기대감을 가졌다. 그리고 그 변화를 간절히 원했다.

처음에 나는 남편에게 파주로 가자고 이야기했다. 출판사에 근무하는 친구들도 많고 서울과 가까워서 적적하지 않을 것이라 생각했다. 그러나 남편은 파주나 서울이나 다를 게 뭐가 있느냐며 우리가 가야할 곳의 필요충분조건을 다음과 같이 정리했다.

1. 서울에서 가능한 멀리 떨어질 것. 그래서 일과 사람에게서 완전히 자유로울 것.

2. 겨울이 따뜻하고, 여름은 시원한 곳. 기후가 가장 좋은 지역으로 갈 것.

3. 먹을거리가 신선하고, 문화예술 콘텐츠가 풍부해서 적적하지 않은 지역을 찾을 것.

이렇게 남편이 정한 지엄한 기준 아래 우리는 지역의 도시들을 물색했고, 최종 후보지로 나는 제주를, 남편은 통영을 선택했다. 그때부터 우리는 긴 논쟁을 시작했고, 최종 결정은 통영에 가 본 이후에 정하자고 결론을 내렸다. 제주도는 자주 가 보았으나 우리 부부모두 통영은 한 번도 가보지 않았던 터라 우리는 휴가를 내서 통영으로 짧은 여행을 떠났다.

제주도냐, 통영이냐

처음 통영에 들어서자 비릿한 바다 냄새가 코끝을 찔렀다. 지금은 통영이 삶의 주거지가 된 탓인지 그 냄새를 거의 못 느끼는데 첫 방문에서는 바다 냄새가 정말 강렬했다. 남해안에 온 것이 처음이었던 우리 부부는 옹기종기 모여 있는 섬들이 그림처럼 펼쳐져 있는 한려 해상 국립공원을 돌아보면서 벌어진 입을 다물지 못했다. 정말 아름답고 근사했다. 마치 이국에 온 것처럼 그렇게 통영의 첫 인상은 내 가슴을 뒤흔들었고, 답답한 마음이 한 순간에 확 뚫리는 듯 했다.

2박 3일의 통영 여행을 끝내고 우리는, 자연환경이야 제주도가 통영을 능가하지만 바람이 많고 기후가 불안정하다는 점, 그리고 육로 이동이 불가능하다는 점 등을 생각하면서 깨끗이 제주도를 포기했고, 이후 통영으로의 이주는 일사천리로 진행되었다.

당시 한국해비타트에 사업관리실장으로 근무하던 남편도 5년 간 다닌 회사에 사표를 냈고, 통영을 오가며 집을 보러 다녔다. 발품을 판 끝에 아름다운 남해 바다가 보이는 오래된 서른한 평의 아파트를 서울의 전셋값에도 못 미치는 가격으로 장만했고, 남편이 손수 인테리어를 했다. (전셋집을 찾아다녔으나 실수요자 위주의 부동산 거래가 안정화된 지역에서는 전세를 찾기가 어려웠고, 어쩔 수 없이 아파트를 살 수밖에 없었다.) 마침내 이듬해 3월 19일, 우리는 통영으로 이틀에 걸쳐 먼 거리 이사를 했다.

남편이 먼저 이삿짐을 싣고 통영으로 출발하고, 회사 업무를 마무리하고 이틀 후 비행기를 타고 뒤따라간 나는 통영에서의 첫 날 밤을 잊을 수가 없다. 서울에서 차로 4시간 이상을 달려야 닿을 수 있는 낯선 도시에서 짐 정리도 안 된 어수선한 방 한 쪽 침대에 누워서 나는 마치 하늘을 뒤흔드는 듯한 바람 소리에 내내 잠을 설쳐야 했다.

서울 사람들이 다 그러하듯 바다에 목말라 있었던 우리는 부동산에 무조건 바다가 보이는 집을 구해달라고 고집했었다. 통영의 부동산 사장님들은 고개를 갸우뚱거리며, "문만 열고 나가면 바다가 지천인데 꼭 집에서 바다가 보여야 해요? 참 이상하네 ……."라는 이야기들을 하셨다. 그래서 마침내 바다가 보이는 멋진 집에서 맞이한 첫 날 밤. 바닷가 13층에 자리한 우리 집에서 들리는 바람소리는 서울에서는 한 번도 들어본 적이 없는 거대한 굉음소리와 같았다. 휘이잉 쉬이익! 마치 결혼 첫 날 밤 두렵고도 떨리는 그 마음처럼 우리 부부는 그렇게 통영에서의 삶을 시작했다.

바다가 보이는 오래된 아파트에서 시작된 통영 살이

처음엔 모든 게 낯설고 신기했다. 문만 열면 한 눈에 들어오는 바다를 바라보는 기쁨은 낯선 땅에서의 삶을 낭만적인 설렘으로 바꿔주는 아름다운 선물이었지만 익숙하지 않은 지역에서의 삶은 하나둘 난관에 부딪혔다.

　통영에 간다고 했을 때 한창 일할 나이에 시골로 내려간다고 우리를 걱정하시던 부모님들은 자주 전화를 하시며 우리의 안부를 물으셨다. 그곳에 마트는 있느냐, 백화점도 없는 곳에 어찌 사느냐는 친구들의 이야기를 우스갯소리로 들으며 하루 이틀 일상에 젖어들면서 우리는 서울 독을 벗어내기가 결코 쉽지 않다는 것을 깨달았다. 통영의 시계추는 확실히 서울의 그것과는 달리 천천히 돌아갔지만 우리의 마음은 여전히 바쁘고, 불안했다. 그리고 무엇보다 그간 일로 지쳐 있었던 내 몸이 일을 손에서 놓자 긴장감이 일시에 풀리면서 한순간에 와르르 무너져 내리고 말았다. 낯선 도시에서의 삶에 적응하는 것보다 건강을 회복하는 것이 일순위였던 나는 마치 영화제목처럼 24시간 먹고, 자고, 산책하고, 기도하면서 그렇게 하루하루를 보냈다.

힘겨운 시간을 보내던 때에 크리스천인 우리 부부에게 무엇보다 지역의 교회가 가장 큰 힘이 되었고, 마치 미국 이민 간 한국인들이 교회에서 모든 필요를 공급받는 것처럼 교회의 많은 이웃들이 우리가 낯선 땅에 잘 적응할 수 있도록 많은 도움을 주었다. 아는 사람 하나 없는 낯선 곳으로 삶의 거처를 옮겨 보면 세상은 결코 혼자서는 살 수 없는 곳이라는 점을 깨닫게 되고, 겸손해지는 것 같다. 그리고 감사하게 된다.

통영에 온 지 6개월여가 지나자 다행히 몸이 서서히 회복세로 돌아섰고, 그동안 두문불출하던 생활에서 하나둘 지역의 친구들을 사귀기 시작했다. 그리고 그때부터 본격적으로 서울의 가족과 친구들의 방문이 이어졌다. 좀처럼 방문할 기회가 흔치 않은 도시라 지인들은 우리의 통영행에 환호했고, 마치 민박집 주인처럼 우리는 그들의 예약 날짜를 체크하며 관광 가이드 역할을 자처했다. 정확히 세어보진 않았지만 서른 가구 정도가 첫 해에 우리 집을 다녀갔던 것으로 기억한다.

왜 통영을 선택했어요?

서울에서는 1년에 한두 번 밥 한 끼 먹는 게 고작이지만 휴가를 내서 놀러와 같이 잠을 자고, 먹고, 여행을 다니면서 가족과 친구들도 더 가까워지고, 친밀해졌다. 하물며 남편은 30년 만에 초등학교 동창이 통영에 찾아오는 일까지 생겨서 즐거운 변화를 실감하게 했다. 우리를 찾아 통영에 온 사람들은 그때마다 우리에게 물었다.

"왜 그 많은 지역 가운데 통영을 선택했어요? 연고가 있었어요?"

그들의 질문에 우리는 위에 써내려간 이야기들을 구구절절 늘어놓았고, 그때마다 그들은 열심히 귀 기울이며 서울이 아닌 다른 지역에서의 삶에 대해 흥미로운 관심을 내비쳤다. 어떤 이들은 부부가 일하지 않고 1년의 휴식을 가질 수 있는 이유가 마치 우리가 쌓아놓은 돈이 많기 때문인 것으로 종종 오해했다. 그러나 우리는 최소한의 비용만 회사로부터 받으며 부족한 비용은 적금을 깨서 충당했다. 그저 이렇게 1년을 놀아도 될까 라는 불안감을 해소하는 것이 더 중요했을 뿐, 지역의 삶은 큰 소비를 하지 않아도 넉넉하게 살만큼 풍요롭다는 사실을 그들에게 이야기해 주었다. 그리고 마침내 그들의 호기심은 또 다른 공통된 질문으로 이어졌다.

"혹시 통영에서 계속 살 거예요? 그럼 뭐 해 먹고 살 건데요?"

통영에 온 지 8개월 무렵 우리는 지인들의 질문을 곰곰이 생각하면서 다시 돌아가야 할 서울의 삶과 이곳에서 새로 접한 삶을 비교하기 시작했다. 1년 후 돌아가기로 약속하고 통영으로 왔는데 어느 때부터인가 우리 부부는 다시 그 복잡하고, 분주하며 숨 막히는 서울의 삶으로 돌아가고 싶지 않았다. 어떻게 얻은 건강인데, 이제 겨우 서울 독을 해독하고 있는데. 다시 그 삶으로 돌아가고 싶지 않은 마음이 커질수록 우리는 친구들의 질문을 스스로에게 하기 시작했다.

'통영에서 계속 살려면, 정말 무엇을 하고 살아야 하지? 혹시 서울에서 하던 일을 이곳에서도 계속 할 수 있을까……'

지역에서 비즈니스하기, 그 첫 걸음을 떼다

그렇게 시작된 우리의 질문이 해답을 찾고 통영에서 새로운 비즈니스를 시작하기까지 다시 6개월여의 시간이 필요했다. 우리가 통영에서 지역 비즈니스를 결심한 이유 중 하나는 서울과 수도권에서는 흔히 볼 수 있는 많은 서비스들이 이곳 통영에는 없는 것들이 많다는 것을 발견하면서였다. 지금 와서 보면 서울에는 없는 지역만의 콘텐츠가 나름의 가치를 갖고 존재하고 있었지만 여전히 서울 사람이었던 우리 부부에게는 그저 기회의 땅처럼 보였고, 이곳에서 라면 뭐든 할 수 있을 것 같았다. 하물며 고기라도 잡아서 팔고 살면 젊은 부부 산 입에 거미줄이나 치겠냐는 용감한 생각도 했던 것 같다. 그리고 통영에 온 지 1년 반이 지나자 우리 부부는 각자의 경력을 살려 작은 출판사 겸 로컬 스토리텔링 전문회사 '남해의봄날',

그리고 NGO를 돕는 콘텐츠 개발과 친환경 생태건축 전문회사 '크리에이티브 서비스 인터내셔널'을 시작했다.

두 번째 창업을 하고 만 2년 동안 정말 많은 일들이 있었다. 첫 창업보다 경제적으로나 경험적으로는 더 수월했지만 낯선 곳에서 다시 하나둘 시작하는 정신적 무게감은 훨씬 컸다. 과연 아는 사람도 거의 없는 이 지역에서 서울에서도 하기 힘든 출판을 잘 할 수 있을까? 스토리텔링이라는 개념조차 생소한 이곳에서 통합 컨설팅 개념의 프로젝트를 예산을 투자해서 진행할 클라이언트는 있을까? 그리고 모두들 서울에 가서 일자리를 찾으려 하는데 이 지역에서 우리 일을 도울 직원들을 채용할 수 있을까? 처음에는 모든 것이 물음표였고, 확신이 서질 않았다. 그저 부딪혀 보는 수밖에 없었다.

나보다 용감하고, 이상주의자인 남편은 첫 창업이었는데도 더 용감하게 투자를 했다. 그로 인한 경제적 압박감은 아직 남아있지만 국제 NGO단체들을 대상으로 한 휴대용 정수기 개발을 시작했고, 전공인 건축 관련 비즈니스도 병행했다. 한국해비타트에서 건축 관련 일을 오래 해온 남편은 사회생활을 정기용 건축사무소에서 생태건축 연구로 시작했다. 대기업 건설부서나 큰 건축 설계사무소 등 대부분 유명대학 건축과를 졸업하는 사람들이 가는 전형적인 코스를 마다하고 처음부터 사람과 자연에 이로운 집을 짓겠다고, 정기용 선생님 밑에서 흙건축을 시작한 그는 통영에서 살 것을 예측이라도 한 것처럼 농촌 마을 컨설팅과 가구 디자인, 그리고 해비타트 집 짓기와 집 고치기 등 친환경 건축과 소외 이웃을 위한 일들을 해왔다. 어찌 보면 남편에게는 통영이라는 지역이 그의 꿈이나 가능성을 펼치기에 더 알맞은 토양일지도 모른다. 이미 자리 잡은 지역의 건축회사들도 많이 있지만 성장과 파괴가 아닌 재생과 보존이라는 가치 아래서 그가 할 일들은 분명 이 작은 도시를 더 풍요롭고 조화롭게 가꾸는 데 도움이 될 것이다.

전국 유통을 감행한 통영의 작은 출판사

통영에서 시작한 두 번째 회사 남해의봄날은 내 오랜 꿈이었던 출판사로 첫 신고식을 치렀다. 그리고 서울에서 5년간 함께 일하던 팀장이 서울 살이를 접고 합류하면서 비로소 우리는 본격적인 로컬 비즈니스를 시작했다. 우리가 출간할 책들의 방향성을 정하고, 아이템 기획과 저자 섭외 등을 통해 출판의 밑그림을 그리는 동안 우리는 첫 번째 프로젝트로 남편 회사와 공동으로 통영거북선호텔의 온오프 통합 브랜드 스토리텔링 프로젝트를 진행했다. 꼬박 1년이 걸린 프로젝트였는데 어느새 호텔이 지역의 명소로 자리 잡은 것을 보면서 큰 보람을 느꼈다. 통영 8경 중 한 곳인 통영대교가 내려다보이는 사무실에서 많은 이들의 부러움과 관심 속에서 시작한 우리의 비즈니스는 이렇게 지역의 콘텐츠를 기획, 마케팅 하는 로컬 스토리텔링 프로젝트와 우리처럼 좀 다른 선택, 다른 도전을 통해 용감하게 살아가는 사람들의 이야기를 책으로 묶어내는 일로 양분되었다.

그리고 드디어 지난 해 7월 첫 책, <행복한 열 살, 지원이의 영어동화>를 출간했다. 아이를 키워보지 못해서 충분한 타깃 분석이 안 된 탓에 기대한 만큼의 판매는 이뤄지지 않았지만 책은 여러 매체에 소개되며 눈길을 끌었다.

"통영에서 오셨다고요? 통영에서 진짜 출판사를 차리신 거예요? 오호, 이런!"

서울의 대형서점과 언론사들은 통영에서 올라온 시골 출판사의 사장을 기꺼이 환대해주었다. 어딜 가나 사람들은 우리 책보다 우리 회사의 정체성을 더 궁금해 했고, 어떻게 그런 결심을 했는지, 실제 그 비즈니스가 통영에서 가능한지 거듭 물었다. 그때마다 나는 이렇게 대답했다.

"인터넷과 소셜 네트워크가 발달해서 책을 만드는 것은 어렵지 않지만 책을 팔고 알리는 것은 쉽지 않네요. 그러니까 많이 도와주세요!"

사전 약속을 하지 않고 가도 멀리서 왔다는 이유로 기다려주고, 기꺼이 미팅 시간을 내준 사람들에게 고마움을 전하며 그렇게 많은 이들의 도움으로 우리의 첫 책은 세상과 만났다.

새 식구가 된 통영 토박이 청년

낯선 지역에서 무언가 새로운 일을 시작할 때 가장 걱정되는 것이 그간의 네트워크와의 단절, 그리고 새로운 네트워크를 쌓는 일이다. 그러나 앞서 말한 것처럼 디지털 세상에 그러한 걱정은 기우에 불과하고, 지역의 인맥은 시간이 지나고 지역 살이에 스며들면 들수록 자연스럽게 주어지는 선물 같은 것이니 이 또한 염려할 필요가 없다. 물론 기다림의 시간은 분명히 필요하다.

비즈니스를 시작하면서 우리는 제법 지역에 아는 사람들이 많아졌고, 서울에서 온 젊은 부부를 환영하고, 도와주려는 지역 사람들의 따뜻한 온정 속에서 우리는 어렵지 않게 좋은 사람들과의 인연을 만들어 나갔다. 그리고 가장 큰 미션이었던 지역에서 직원을 채용하는 과제 역시 우리의 걱정과 달리 30대1의 경쟁률 속에서 똘똘한 통영 토박이 청년을 첫 공채 직원으로 채용할 수 있었고, 그 친구 덕분에 우리는 지역의 정서에 한 걸음 더 가까워졌다.

남편은 어부 친구가 생겨 즐거워했고, 나는 서울에서는 절대 안 나가던 대학동문회까지 나가며 소소한 만남을 즐겼다. 그 중에서 특히 지역신문 기자들의 도움이 가장 컸다. 어디나 신문기자는 인맥의 중심에 서 있기 마련인데 특히 지역신문 기자들은 발로 뛰며 지역 곳곳의 소식들을 우리에게 전해주며 지역의 연결고리를 만들어주었다. 서울에서는 접해보지 못했던 지역신문은 통영처럼 작은 도시에서는 매우 중요한 소식통이자 유력 매체였다. 지역신문의 위력을 알 수 있는 재미난 에피소드가 하나 있다. 책이 하나둘 출간되고 중앙일간지에 제법 회사가 보도되었음에도 통영에서 우리 회사를 제대로 아는 사람들은 많지 않았다. 그러던 중 통영의 <조선일보>로 불리는 <한산신문>에서 우리 회사를 두 면에 걸쳐 크게 보도하였는데 그 이후 회사로 걸려오는 지역 사람들의 전화가 부쩍 늘었고, 심지어 동네 우체국에서도 회사를 알아보는 등 달라진 위상을 실감했다. 중앙일간지가 아니라 지역신문을 열심히 찾아보고, SNS 미디어가 아니라 동네 곳곳의 현수막으로 소통하는 작은 도시 통영. 서울과는 달라도 참으로 많이 달랐다.

지역의 작은 출판사에 보내는 응원과 격려의 선물

첫 책을 출간하면서 본격적인 시험대에 오른 통영의 출판사 남해의봄날은 이후 <나는 작은 회사에 다닌다>, <내 작은 회사 시작하기> 두 권의 책을 기획, 집필하여 내 친정 디자인하우스와 함께 출간했다. 이 책들은 시의성이 맞아 떨어지면서 출간되자마자 화제가 되었고, 많은 언론에 소개되면서 초기 각종 서점 베스트 목록에 올랐다. 급기야 고작 세 권의 책을 기획, 출간한 지역 출판사로는 이례적으로 제53회 한국출판문화상 편집 부문 대상을 수상하는 기록을 세웠다.

　세 권의 책을 만들고, 홍보하고 유통하기 위해 서울과 통영으로 오가길 수차례. 정신적, 체력적 한계를 느끼며 하루에도 열두 번씩 서울로 짐 싸서 올라갈까 고민하던 내게 출판문화상 수상은 큰 격려와 위로가 되었다. 통영이라는 지역에서 시작한 작은 출판사에 대한 위로이자 응원이었고, 우리는 다시 힘을 냈다.

　출판사 사장이자 편집자와 마케터, 그리고 저자로 1년을 보내고 나니 어느새 회사는 지역 출판사라는 새로운 아이덴티티를 갖고 많은 사람들에게 서울을 벗어난 새로운 비즈니스의 가능성을 꿈꾸게 하는 즐거운 실험으로 인식되어 있었다. 책을 내고 싶다는 저자들의 문의도 부쩍 늘었고, 무엇보다 우리의 이야기를 듣고 싶다고 회사를 찾는 이들도 많아져서 때론 업무에 방해가 될 정도였다.

처음엔 그처럼 과분한 관심이 출판 첫 해에 이례적으로 상을 탄 후광효과라 생각했었다. 그러나 어느 순간 깨닫기 시작했다. 바로 통영이라는 든든한 배경이 가져다 준 선물이라는 것을 말이다. 사람들은 통영이 가진 문화예술 자산을 떠올리면서 왜 이제야 통영에 출판사가 생겼는지를 의아해 하듯 그렇게 기꺼이 신생 출판사를 응원해 주었다.

우리의 지역적 한계는 그 누구도 가질 수 없는 차별점이었고, 우리는 그것이 오랫동안 묵묵히 통영을 지키고, 가꾸어서 아름다운 곳으로 만들어온 지역의 많은 분들 덕분이라는 것도 알게 되었다. 그 열매를 우리가 나눠 갖게 된 것이다. 그래서 어떻게 하면 이 귀한 선물을 또 다른 열매로 지역과 나눌 수 있을지, 그것이 우리가 앞으로 감당해야 할 몫일 것이다.

이렇게 지역의 덕을 보면서 살게 될 줄은 꿈에도 생각 못하던 시절, 서울에서 비즈니스를 할 때에도 가끔 지역에서 프로젝트 의뢰가 있었다. 그런데 그때마다 나는 그 먼 길을 오가면서 굳이 그 일까지 해야 할 필요성을 느끼지 못했고, 서울에도 일은 넘친다고 생각하여 거절했었다. 한편으로는 예산에 대한 부담도 있었고, 서울 홍대 앞의 제법 잘 나간다는 회사의 대표가 갖는, 지금 와서 생각해보면 참으로 보잘 것 없는 허세 같은 것도 있었던 것 같다. 그러나 지역 비즈니스를 하면서 나는 그 자만심의 실체가 부끄러운 허상이었음을 깨달았다.

지역의 비즈니스는 지역의 정서와 역사, 문화, 그리고 오랫동안 뿌리내려 온 사람들의 일상에 깊이 다가가지 않고는 제대로 콘텐츠를 이해할 수도, 이야기를 만들 수도 없다. 물론 몇 번 지역을 오간 것만으로도 책 한 권이 나오기도 하는 게 현실이고, 여전히 지역의 큰 프로젝트는 서울 회사의 몫이 되기도 하지만 적어도 출판이나 스토리텔링 등 콘텐츠를 다루어야 하는 비즈니스만큼은 그렇게 해서는 제대로 성과를 낼 수 없음을 깨달으면서 지난날들의 내 허영심을 반성하고 있다. 실제 통영에서 만난 사람들 중에는 가치 있는 콘텐츠를 가진 이들도 많고, 그들의 내공 역시 만만치 않았다. 진정 무림의 고수들을 만났다고 해야 할까.

그래서 나는 그 먼 거리를 서울을 오가는 수고를 기꺼이 감당하면서도 통영을 떠나지 못하는 것인지도 모른다. 콘텐츠를 기획하고, 이야기를 만들어 세상과 소통하는 일을 업으로 삼아온 내게 가장 중요한 것은 거대도시가 주는 넘쳐나는 일거리와 편리한 시스템이 아니라, 콘텐츠 바로 그 본질이기 때문이다. 그것을 앞만 보고 달리면서 건강을 잃는 혹독한 체험을 하고나서야 깨닫게 된 것이다. 아울러 나의 삶 역시 겉으로 보이는 허상이 아니라 내 안의 본질, 삶의 콘텐츠가 더 중요하다는 것도 덤으로 깨달으며 삶의 목표에 대해 다시금 방향전환을 하게 된 것도 지역의 삶이 준 선물이었다. 우리는 그렇게 서울에서는 얻을 수 없었던 것들을 이렇게 작은 지역, 통영에서 하나둘 깨닫고, 우리의 것으로 만들어 가고 있다.

지난 11월 우리는 좀 더 지역에서 조화롭게 뿌리를 내리기 위해 가진 돈 탈탈 털어 전혁림 미술관 뒤의 30년 된 낡은 집을 구입, 남편이 손수 리모델링하여 집과 사무실을 겸한 작은 사옥을 지었다. 서울에서 작은 아파트 전셋값 정도면 2층 단독주택을 살 수 있는 환경이어서 용기를 냈지만 막상 집을 짓는 데는 큰 결심이 필요했다. 이제는 진짜 통영 사람으로 살아가야 한다는 각오 내지는 결단 같은 것. 아직은 서울에서 살아온 시간이 더 많으니 여전히 서울 사람의 속내와 모양새를 갖고 있겠지만 우리는 좀 더 지역의 삶에 스며들고 싶었고, 그렇게 통영에서의 시즌2는 시작되었다. 이번에는 바닷가가 아니라 지역 토박이들이 더 선호한다는 산 밑 아담한 주택에 둥지를 틀었다. 통영에 온 지 만 3년을 넘긴 우리에게 이제는 굳이 바다가 보이는 집과 사무실은 필요하지 않았다. 문만 열고 나가면 지천이 바다인데 굳이 바다를 집에서 보아야 할 이유가 무엇이겠는가.

열 번째 이야기의 주인공을 기다리며

고향인 서울을 떠나 연고가 전혀 없는 낯선 지역에서 그것도 새로운 비즈니스를 시작하는 것은 결코 쉬운 일은 아니다. 그러나 모두가 경쟁을 부르짖는 대도시에서 정신없이 살아온 삶의 방식이나 습관을 끊고 몸과 마음이 좀 더 건강하고 넉넉한 삶을 원한다면 그러한 도전은 한 번쯤 해볼 만한 가치가 있는 것이라 생각한다. 작은 지역에서 살다 보면 자연과 더 가까워지고, 자연스럽게 텃밭도 가꾸고, 낚시도 하게 되지만 처음부터 농부나 어부가 되어야만 시골에 살 수 있을 거라는 생각을 갖는 이들에게 새로운 가능성을 보여주기 위해 이 책은 기획되었다.

통영 살이 이제 4년차. 언젠가 우리 부부도 농부나 어부처럼 더 자연과 가까운 삶을 살아갈지도 모른다. 때론 이 공기 좋고 아름다운 곳에서 고달픈 출판과 건축을 하는 것에 의문을 품기도 하지만 우리의 재능을 살려 이 작은 도시에 새로운 활력과 문화를 만들 수 있다면, 그래서 우리의 새로운 삶을 허락한 이곳에서 사람들과 어울려 도움을 주고받으며 소소한 일상의 행복을 나눌 수 있다면 우리의 시도는 그것만으로도 충분히 가치가 있을 것이다. 이렇게 지역의 이야기를 책으로 엮어내는 일 역시 우리가 지역에 좀 더 온전한 뿌리를 내리고, 경험을 나누고, 더불어 살기 위한 과정이 될 것이다.

여전히 대도시의 생활습관이 남아 있어서 가끔은 화려한 도시의 거리와 즐비한 카페들, 그리고 작고 예쁜 가게들이 그리울 때가 있지만 다시 그 삶 속으로 돌아가고 싶지는 않다. 이제는 백화점보다 사계절 펄떡이는 생선을 만날 수 있는 재래시장이 더 좋고, 창업 초기라 분주하지만 특별한 경우를 제외하고는 야근과 주말 근무를 하지 않는 지역의 작은 회사에서 일하는 것이 즐겁고 감사하다.

우리처럼 경력을 살려 뭔가 새로운 지역에서 새로운 서비스를 창출해내며 삶의 방식 또한 변화될 수 있기를 바라는 이들이 있다면 한 번쯤 용기를 내보는 것은 어떠한가. 서울을 떠나도 분명 우리가 할 일은 존재하고, 시간이 걸리고, 힘은 들어도 그 길은 어디든 열려 있다. 혹 길이 없으면 또 어떤가. 없으면 만들면 되는 것이 또 길이거늘. 분명 그 길에는 아름다운 꽃길도, 험한 산세도 있겠지만 그래도 한 번 사는 인생, 마음이 시키는 대로 자유롭고, 넉넉하게 살아보는 것도 나쁘지 않다. 단, 항상 변화에는 대가가 따른다.

그동안 붙들고 있던, 불안한 미래를 위해 오늘을 저당 잡혀 움켜쥐려고만 했던 그 무엇을 내려놓을 용기. 그 희생을 기꺼이 감수할 용기만 낸다면 열 번째 이야기의 주인공은 바로 당신이 될지도 모른다. 남해안 작은 도시 통영에서 용감하게 시작한 작은 출판사 남해의봄날은 언제든 당신의 즐거운 변화에 동참할 준비가 되어 있으니 용기를 내서 새로운 인생을 써 내려가기를 기대하고, 또 응원한다.

정은영

42, 작은 출판사
남해의봄날 대표

나이 마흔 둘. 평생에 한 번도 어렵다는 창업을 두 번이나 했다. 한 번은 서울 홍대 앞, 두 번째는 경남 통영에서 작은 회사를 만들었다. 그러나 혹독한 창업을 감당하기엔 턱도 없는 체력조건을 타고나 죽을 고비 두어 번 넘기며 꽤나 고생했다. 작은 회사 사장으로 살아온 10년은 신문사 잡지 기자로 시작해 광고회사의 기획자, 그리고 디자인하우스 기자 생활이 큰 밑거름이 되었고, 두 번의 창업을 통해 겪었던 시행착오와 작은 노하우들을 나누기 위해 <내 작은 회사 시작하기>(디자인하우스 발행)라는 책을 썼다. 통영에서 새로운 비즈니스를 시작하면서 서울을 떠나 지역에서도 얼마든지 자기 재능을 살려 비즈니스를 할 수 있음을, 그리고 그로 인해 더 여유롭고 다채로운 삶의 변화가 가능함을 날마다 체험하며 살고 있다.

일러스트레이션_김재훈

천천히, 함께
시계추가 돌아가는
작은 지역의 삶

모두가 같은 목적만을 좇는 거대도시 서울에서 탈출,
작은 지역에서 새로운 삶을 만들어가고 있는 9명의
젊은 지식노동자들.

낯선 땅에서 좌충우돌 시행착오를 거치며 더 여유롭고,
풍요롭게 사는 방법을 배워가는 그들에게
이제 지역의 삶은 은퇴 후가 아니라, 오늘의 삶을
더 가치 있고, 행복하게 살기 위한 선택이다.

공간의 전환은 곧 삶의 전환이다

거대한 빌딩숲을 떠나 새가 노래하고, 나무가 울창한
자연의 삶으로 한 걸음 나아가 보라. 화려한 도시,
번쩍이는 네온사인은 없지만 자연의 순리에 따라
천천히 사계절의 변화를 느낄 수 있는, 낯설지만
소중한 하루하루를 경험하게 될 것이다.

이제 '먹고 살 길이 막연해서' 라는 핑계는 무의미하다.
세상 어디에도 우리가 해야 할 일은 있고,
또 필요로 한다. 서울에서 살아남은 당신이라면
어디에서도 안착할 수 있다. 그것도 아주 성공적으로.

다만, 버리고 비우는 용기가 필요할 뿐이다.

도서출판 남해의봄날 로컬북스 01
이웃한 도시라도 자세히 들여다보면 서로 다른 자연과 문화, 아름다움을 품고 있습니다.
독특한 개성을 간직한 크고 작은 도시의 매력, 그리고 지역에 애정을 갖고 뿌리내려
살아가는 사람들의 이야기를 남해의봄날이 하나씩 찾아내어 함께 나누겠습니다.

3040 지식노동자들의 피로도시 탈출

서울을 떠나는 사람들

초판 1쇄 펴낸날 2013년 6월 5일
초판 2쇄 펴낸날 2013년 7월 15일

지은이	김승완, 김은홍, 배요섭, 사이, 오은주 이국운, 이담, 이명훈, 정은영
편집인	정은영 책임편집, 장혜원, 천혜란
마케팅	소요프로젝트
디자인	몽골리안그래픽랩 정보휘
종이와 인쇄	미르인쇄
펴낸이	정은영
펴낸곳	남해의봄날

경상남도 통영시 봉수1길 12번지 1층
전화 055-646-0512 팩스 055-646-0513
이메일 books@namhaebomnal.com
트위터 @namhaebomnal 페이스북 /namhaebomnal
블로그 blog.naver.com/namhaebomnal

ISBN 978-89-969222-3-0 03810
© 2013 남해의봄날 Printed in Korea.